*ACTES SUD JUNIOR*
*est dirigé par Madeleine Thoby*

"Les Couleurs de l'Histoire"
une collection dirigée par
Madeleine Thoby et François Martin

Robert Bigot

Il n'écrit aux adolescents
que pour tenter de retrouver
et communiquer
le plaisir pris, à leur âge,
à ces lectures fortes et vraies
qui l'empoignaient
sur la berge de ses rêves
pour l'entraîner sur l'autre rive,
là où ses yeux n'allaient pas.
Peut-être est-ce à cause
de ces plaisirs rares qu'il a choisi
d'écrire souvent l'émotion...

# LES LUMIÈRES
# DU MATIN

Du même auteur

Une si petite flamme
SYROS

L'Almanach des enfants
CORPS-PUCE

Camille Clarisse
Dans les jardins d'mon père
La Double Vie de Chloris Locuste
ACTES SUD JUNIOR

Illustration de couverture : Gaëtan Évrard
Direction artistique et conception graphique :
Isabelle Gibert

© Actes Sud, 2000
ISBN 2-7427-2633-0
Première édition : Hachette, 1975

*Loi 49-956 du 16 juillet 1949*
*sur les publications destinées à la jeunesse*

*Les Couleurs de l'Histoire*

**ROBERT BIGOT**

# LES LUMIÈRES
# DU MATIN

*ACTES SUD JUNIOR*

"C'est de ce temps-là que je garde au cœur
Une plaie ouverte."

*À Louise, la vaillante ambulancière
de la barricade de la rue des Trois-Bornes,
le dimanche 28 mai 1871.*

J.-B. CLÉMENT

*À mes enfants, pour qu'on ne leur "raconte"*
*pas l'Histoire…*

*Certaines nuits profondes, on se trouve parfois à che-*
*miner sur un chemin à peine connu d'une campagne*
*endormie. La masse informe des maisons se confond*
*avec le ciel noir et se distingue à peine des arbres. Il*
*semble au passant attardé marcher dans une nuit de*
*fin du monde.*
*On se sent seul, abandonné des hommes, au bord du*
*désespoir. Reverrons-nous la lumière ?*
*Soudain une fenêtre s'allume et la maison proche*
*jaillit de la nuit. Peu à peu un village prend forme et*
*scintille de lueurs furtives...*

Lumières du matin, œuvres des hommes, signaux
pour d'autres humains, sous ce titre Robert Bigot
nous a donné à voir l'une de ces aubes du monde,
celle du printemps de 1871 qui a éclairé Paris avant
de devenir un message universel et durable.

Pascal a quinze ans dans le Paris où le Second
Empire achève de se décomposer sans pour cela
répondre à l'aspiration de liberté des Parisiens. La
guerre franco-prussienne achève le désastre, Paris se
bat, résiste et considère la capitulation de Thiers
devant Bismarck comme une trahison. La République proclamée sur les ruines de l'Empire reste bien
fragile. La République, depuis 1792, c'est l'espoir
des Parisiens souvent déçu et particulièrement noyé
dans le sang en 1848, la République sociale et vraiment démocratique.

Le roman n'est pas un manuel d'histoire, mais l'irruption d'un moment de la vie quotidienne, avec
parfois ces raccourcis saisissants auxquels aujour-
d'hui cinéma et télévision nous ont habitués.

Rien d'étonnant à ce qu'un prix littéraire, le prix
Jean-Macé, ait couronné Les Lumières du matin,
associant ainsi l'idéal d'instruction générale de Jean
Macé à la place de l'école dans le projet de société des
Communards.

*Quand Pascal écrit son histoire, tout est accompli, le Siège et ses privations, la Commune et son soleil ont disparu sous le sang de la répression. Nous avons croisé les acteurs, de Louise Michel à Jean-Baptiste Clément, de Varlin l'assassiné aux dénonciateurs. La mère de Pascal a subi Satory et la déportation, les combats et les exécutions ont décimé les amis proches, le père et les trois enfants subsisteront grâce à la vigilance et à la solidarité.*

*Dans cette nuit cependant, au-delà de l'horreur, les leçons du combat continuent à entretenir la flamme. "D'autres, comme nous, déjà se lèvent et marchent…", dit Pascal en 1879.*

*Il suffit d'être attentif et de se laisser guider par* Les Lumières du matin *car, comme disait Eugène Pottier : "La Commune n'est pas morte."*

RAOUL DUBOIS, juillet 1999

# PROLOGUE

Nous n'avons pas toujours habité Montmartre.
Mais Louise, Stéphane et moi, sommes tous
trois nés Clos-Saint-Merri. Mon frère avait un
peu plus d'un an lorsque, en 1866, la famille
Clarisse résolut d'émigrer vers les hauteurs.
J'ai quelques souvenirs de ce brusque changement de vie ; j'avais dix ans. Ma mère nous
menait alors jusqu'au lavoir de la rue Lepic,
moi près d'elle, accroché au brancard de la
brouette, mon frère juché sur le tas de linge,
mollement enfoui, et ballotté par les se-
cousses des pavés dans un abandon qui faisait
envie. Parfois Louise nous précédait, portant
le battoir et le savon ; déjà, pour moi, c'était
un personnage... une grande sœur. Les
images qui me restent du lavoir communal
sont imprégnées de soleil. Nous n'accompa-
gnions certainement pas ma mère à la lessive
durant la mauvaise saison, et c'est la raison

pour laquelle je ne peux penser à ce lavoir sans ressentir la tiédeur humide de ces longues journées d'été.

Dans ma courte mémoire de dix ans s'est aussi fixée la rudesse de l'étoffe du pantalon de mon père. Ouvrier typographe, il portait des habits de moleskine noire, et mon front atteignait à peine sa poitrine. J'avais pour lui une admiration aveugle et spontanée que les années transformèrent en adoration.

J'appris plus tard que, bien avant que nous ne fussions nés, les dénonciations anonymes de quelques voisins avaient contraint nos parents à fuir quelque temps le Clos-Saint-Merri, après la construction d'une barricade, juste sous leurs fenêtres, lors des sanglantes émeutes de juin 1848. Mon père, c'est certain, participa activement aux événements et son attitude courageuse lui valut une grande popularité parmi les laborieux du voisinage. Quelques bourgeois des rues proches, en revanche, ne cessèrent de le désigner comme un meneur dangereux, un exalté capable de tout ; il frisa la déportation. En homme avisé, mon père garda vis-à-vis de ses délateurs une attitude de dédain ; mais il avait craint pour ma mère. Louise naquit en 1849, un an après les barricades, et je vis le jour sept années plus tard. C'est donc lorsque la présence de Stéphane, alors tout jeune, posa de sérieux problèmes de logement que mes parents décidèrent d'abandonner le Clos-Saint-Merri, à la recherche d'un quartier moins chargé de menaces et d'un logis plus spacieux.

Ils trouvèrent rue Saint-Rustique, tout au haut de la butte Montmartre, près des moulins, une maison composée de trois chambres, d'une vaste salle commune qui tenait lieu à la fois de cuisine et de salle à manger, et d'un appentis un peu bas abritant les outils de jardinage et la brouette. La bâtisse, sans étage, était séparée de la rue par un étroit jardinet où jamais rien ne poussa que des herbes hautes et drues. Mais en longeant l'appentis on découvrait, derrière la maison, un potager fleuri soigneusement entretenu dont nous désherbions les allées, chaque printemps venu. L'été, nos parents laissaient à la nature le soin d'être seule à faire sa beauté...

Là, mes souvenirs deviennent imprécis, s'estompent dans une sorte de brume où tout se fond et se confond. J'allais à l'école de la rue de Saint-Denis*, au coin de la rue Lamarck. Mon père était fier parce que j'avais appris très vite à bien lire et écrire lorsque nous habitions Clos-Saint-Merri ; j'étais resté un bon élève à Montmartre.

Mes parents ne recevaient jamais, ce n'était pas l'usage. Par contre, des amis de mon père, ouvriers comme lui, entraient souvent nous donner le bonsoir. Au Tertre, sur toute la Butte même, on aimait le "père Clarisse". Cette façon de le nommer m'étonnait toujours, habitué que j'étais d'entendre ma mère l'appeler Charles, mais au fond je crois qu'il y avait chez ces hommes un peu frustes une sorte de

---

* *Aujourd'hui, rue du Mont-Cenis.*

respect admiratif, et qu'il leur eût semblé trop familier d'appeler mon père par son prénom. Son métier, sa fréquentation d'un milieu où s'élaborait chaque jour la pensée imprimée l'auréolaient d'un prestige peu commun dans un quartier où le niveau d'instruction restait très bas. Car non seulement mes parents savaient lire et écrire, mais il n'était plus rare qu'un article parût sous la signature du père Clarisse. Aux beaux jours de l'été 1868, non par plaisanterie mais je crois plutôt par taquinerie amicale, un rédacteur lui avait ouvert une colonne de son journal : l'article avait fait du bruit. Des lettres affluèrent à la rédaction, des lecteurs exprimèrent leur communion d'esprit avec ce nouvel éditorialiste. Mon père en éprouva plus de secrète satisfaction que d'orgueil mais sa renommée s'étendit sur la Butte avec rapidité, tant et si bien que sa pondération, son calme, l'exemplaire volonté dont il faisait preuve dans chaque tâche entreprise lui valurent d'être nommé délégué de notre arrondissement à l'Association internationale des travailleurs. Créée à Londres en 1864, cette organisation groupait des ouvriers de toutes nationalités ; la plupart des corps de métiers y étaient représentés. Les aspirations de tous y étaient débattues, discutées ; c'est au sein de l'Association que bien des mouvements sociaux prirent naissance en France, avec prudence tout d'abord, dans la crainte de la dure magistrature impériale qui tolérait mal les oppositions ouvrières, puis avec plus de hardiesse et de détermination, prouvant ainsi que l'Internationale représentait une force avec laquelle il faudrait bien un jour se mesurer. Quatre années avaient passé depuis notre arrivée rue Saint-Rustique. Louise était devenue une jeune fille, Stéphane un attendrissant gamin et moi, familier des chemins montants de la Butte, je rêvais d'être un adulte à l'image de mon père... Le destin se chargea d'exaucer mes vœux, beaucoup plus brutalement que je ne l'avais souhaité.

J'avais un peu plus de quatorze ans lorsque la France, le 19 juillet 1870, déclara la guerre à la Prusse. À vrai dire, je ne me rendis pas bien compte des drames que cela impliquait et j'étais loin d'imaginer l'issue du conflit. Deux mois après l'engagement des combats, les Français avaient accumulé tant de défaites, rougi de tant de retraites que les Prussiens se trouvaient aux portes de Paris. La place était près de tomber, dans l'humiliation et la colère. Et le dur hiver vint...

Le froid mordit, cette année-là, d'insupportable façon. Le thermomètre descendit jusqu'à vingt degrés au-dessous de zéro et mon père disait qu'il était préférable d'avoir chez soi un tas de bûches plutôt qu'un sac de louis. Paris glacé s'engourdissait sous un ciel fait de feu et de tonnerre. Dans la banlieue toute proche, des soldats mouraient pour une cause qu'ils savaient perdue. Au froid, aux canons prussiens qui bombardaient la ville, au désespoir de la défaite, vint se joindre la poigne de la famine. La capitale, apparemment dépourvue de réserves suffisantes, eut à supporter un siège épuisant. C'est par là que les Prussiens tenaient Paris. Très vite les vivres indispensables s'épuisèrent. Seul le riz ne manqua pas. Manger du cheval devint un luxe. Alors, le chat tout d'abord, puis le chien, enfin le rat, nourritures innommables, devinrent courantes au sein de la population pauvre. Toutes ces bêtes se vendaient très cher. Çà et là éclatèrent des émeutes de la faim.

Ma mère passait de longues heures devant l'épicerie de la rue des Saules, le visage las et résigné, dans l'attente de je ne sais quelle maigre portion qui ne venait jamais. Nous mangions peu et mal ; le pain était noir, mêlé de sciure, gommeux, à tel point écœurant que Stéphane, délicat et chétif, ne pouvait le supporter.

De plus en plus souvent des hommes entrèrent chez nous, s'assirent avec mon père autour de la table ; ils parlaient haut et fort. Dans leurs propos revenaient toujours les mêmes mots : misère, défaite, trahison... Ma mère nous priait alors de rester dans notre chambre jusqu'à ce que la salle commune fût libérée de leurs éclats de voix.

J'écris ces lignes huit ans après les événements qui marquèrent si profondément mon enfance. Aujourd'hui, à l'automne 1879, je revis dans l'émotion cette sombre et tragique période de notre existence. Je n'étais encore, en 1870, qu'un enfant anxieux. Malgré les contraintes et les douleurs de cette guerre, rêveur plutôt que studieux, je ne m'étais pas encore ouvert à la réflexion et ne savais presque rien des conditions de vie de ceux qui m'entouraient. Voilà pourquoi je vénère l'instant où d'un seul coup, à quinze ans, j'eus la révélation de mon état d'adolescent. Peut-être n'aurais-je jamais pris conscience du drame intérieur qui minait ces hommes et ces femmes si un soir de janvier 1871, entrant dans la salle, je n'avais surpris mon père à pleurer...

# 1

## LE 28 JANVIER 1871

Il s'essuyait les yeux avec un de ces larges mouchoirs qu'il avait toujours en poche. Le bord de ses paupières était rougi et je voyais, accentués encore par la lumière rasante de la lampe, les muscles de sa mâchoire se contracter dans l'effort qu'il faisait pour se dominer. Lèvres serrées, tête droite, le regard fixe, il recroisa les bras sur sa poitrine, le mouchoir en boule dans son poing fermé, quand il me vit entrer. Toute son attitude reflétait la noblesse et la fierté.

Il se tourna lentement vers moi, planta ses yeux pâles dans les miens, hocha douloureusement la tête. L'instant qui s'écoula me parut interminable ; je sentais la gêne me gagner comme si j'avais été pris en flagrant délit d'indiscrétion. Enfin ses lèvres s'ouvrirent. Sa voix était lasse et douce :

– Pascal, n'aie pas peur, mon gars.

– Non, papa.

Ma voix trembla tout de même un peu.

– Sais-tu ce que c'est que la guerre ?

Je fis oui de la tête, avec conviction, mais sentis bien la pauvre valeur de cet acquiescement.

– Mon garçon, tu es grand maintenant. À quinze ans, Pascal, il y a beaucoup de choses que tu dois comprendre. J'ai longtemps voulu te tenir à l'écart de nos luttes, mais aujourd'hui je ne peux plus me taire… Ce qui arrive est trop important et engage à ce point ton avenir que je ne me sentirais plus ton père si je te laissais grandir dans l'ignorance…

Il termina sa phrase dans un souffle, se détourna, et je vis le mouchoir quitter un instant son poing pour balayer une dernière fois ses yeux. Il reprit :

– Paris… Paris est une belle ville, une grande cité… Nous avions tout pour la défendre, et aujourd'hui…

Il prit une ample respiration. J'attendis, suspendu, conscient de la gravité du moment.

À cet instant ma mère entra, tenant un gros pain en travers de sa poitrine. Son châle était poudré de froid et, comme elle portait toujours des sabots lorsqu'elle sortait, son premier réflexe fut de les quitter l'un après l'autre en les talochant vigoureusement. C'est en relevant la tête qu'elle vit mon père silencieux, toujours très droit, son attitude singulière, ses yeux, le mouchoir enfin…

– Charles, s'écria-t-elle, Charles… qu'y a-t-il ?

Elle courut à lui, déposa le pain sur la huche, me jeta au passage un regard furtif, et lui prit les mains. Je reverrai toujours le geste d'infinie douceur qu'il fit pour se dégager et la lassitude de son sourire.

– Élise… l'armistice est signé !…

Ma mère resta un moment stupéfaite, comme une personne à qui l'on annonce un deuil auquel elle ne peut croire, puis soudain eut le sursaut d'une rebelle :

– Charles, Charles, c'est impossible, il faut faire quelque chose ! Nous n'allons pas laisser Paris aux Prussiens !

C'est vers moi que se tourna mon père :

– As-tu compris, Pascal ? Sais-tu ce que cela représente pour nous ? Dans les clauses de cet armistice, il en est une des plus infamantes, des plus déshonorantes pour les Parisiens ! Les Prussiens doivent faire dans Paris une entrée solennelle, triomphale, scanda-t-il, et nous resterions là, les bras croisés ? Nous avions tout ici pour nous défendre, des fusils, des canons et des hommes. Le peuple en armes pouvait encore sauver Paris, mais on a préféré envoyer au massacre des malheureux sans équipement et qui sont morts pour rien, à trois pas de nos portes ! C'est une trahison, mon garçon, une trahison de ceux qui prétendent nous gouverner ! Les Prussiens sont vainqueurs malgré nous mais ils ne sont pas encore dans Paris ! Nous ne devons pas, sans réagir, laisser s'accomplir cette bassesse ! Un armistice, ça !? Une capitulation, oui !

La voix de mon père s'enflait mais restait posée et nous restions, ma mère et moi, stupéfaits devant la sourde violence qui montait en cet homme habituellement si calme.

Je ne l'avais jamais vu en colère et jamais il ne nous frappa. Je me souviens seulement du soir où il leva la main sur Louise – elle pouvait avoir une douzaine d'années – à propos d'une banale histoire de barres de chocolat disparues de la réserve familiale. Mais son bras resta en l'air et la gifle ne partit pas. Toute la répugnance qu'avait mon père aux gestes de violence est inscrite dans cette paume large et forte, très haut levée, qui redescendit sagement le long de sa jambe, comme soulagée d'en rester là…

Et ce soir-là, d'instinct, j'admis ses raisons ; s'il balayait avec tant de fougue son habituelle sagesse, sa prudence et sa pondération, sa révolte devait être non seulement justifiée mais aussi nécessaire.

– Ce n'est pas à cinquante-deux ans que je vais admettre une honte pareille ! gronda-t-il. Vous m'avez vu pleurer aujourd'hui mais ces larmes-là, on me les paiera cher !

Il nous enveloppa de son grand regard bleu et répéta :

– Cher… très cher !

Je frissonnai à sentir en lui la froide décision, l'inébranlable résolution et sans doute, chez cet homme foncièrement bon, un réel besoin de revanche. Ma mère aussi le comprit mais se tut. Son courage fut dans ce silence : elle montrait qu'elle demeurait une fois de plus sa compagne jusqu'au bout…

Mon père passa devant nous, décrocha au passage sa veste et sa casquette et, se tournant vers elle :

– Élise, je vais au Comité central de la Garde nationale. Il nous faut des précisions. Je serai là pour souper, ne t'inquiète pas.

Il franchit le seuil, tira avec soin la porte derrière lui et j'entendis ses pas décroître sur les pavés neigeux de la rue Saint-Rustique tandis que nous glaçait l'air de la nuit qu'il avait laissé entrer.

Tant que fut perceptible le cadencement étouffé de ses souliers, je demeurai figé à ma place, incapable de réagir. Si j'avais osé, mon élan m'eut porté d'un seul coup derrière lui. Mais j'avais peur, pour lui, pour nous tous, crainte imprécise reflétant bien l'émotion ressentie devant la scène dont j'avais été témoin. Ma mère, frôlant la table de sa longue jupe, s'approcha de moi ; sans un mot, elle posa une main sur mon épaule : incroyable satisfaction de la sentir confiante ! Spontanément, pour calmer l'inquiétude qui l'habitait, c'est vers moi qu'elle allait. Et ce n'était pas tant pour se rassurer que sa main s'appuyait sur moi mais bien pour sceller entre nous cette alliance dont la soudaineté transforma ma vie. Ma mère abandonna sa paume sur la laine rêche de mon chandail, sans hâte laissa glisser ses doigts sur le tricot dans un geste distrait qui lui était familier.

– Pascal…

– Oui, maman ?

Son front se pencha, je crus qu'elle allait parler de ce que nous venions d'apprendre mais elle se retint, me sourit de tendresse, m'embrassa :

– Mets la table, veux-tu, mon enfant…

Il nous arrivait parfois, lorsque mon père était retenu plus tard que de coutume au journal, de prendre notre repas, Stéphane et moi, seuls sur la large table familiale et je n'aimais guère ces mises à part dans lesquelles je sentais bien la volonté de mes parents de nous épargner leurs soucis et de rester discrets sur leurs discussions.

Ce fut Stéphane qui dîna en solitaire, ce soir-là, et sans que ma mère eût dit un mot, j'attendis le retour de mon père, certain d'être pour la première fois admis sans réserve au rang des adultes. Les bras croisés sur la table je regardais Stéphane manger. Il me jetait de temps à autre, par-dessus sa cuiller, un regard d'envie qui me remplissait d'orgueil. J'avais franchi un pas qu'il ne ferait qu'après moi : j'en étais fier...

Une heure plus tard, alors que mon petit frère s'assoupissait, le nez dans son assiette, le même martèlement feutré – crescendo cette fois –, ni plus rapide ni moins régulier qu'au départ, nous avertit du retour de mon père. Il heurta ses souliers contre la pierre de seuil et poussa la porte. Sa casquette, ses vêtements, les épaules surtout mais aussi sa barbe et sa moustache, étaient blancs de neige. Il se secoua, fit tomber d'un revers de main la croûte froide qui le couvrait, passa prestement ses mains sur son visage. Ma mère lui retira sa veste et la pendit au clou, près de la porte ; sans doute se voulait-elle calme et naturelle mais je perçus tout de même son léger tremblement. Comme moi elle attendait, comme moi elle craignait. Mon père resta silencieux. Stéphane s'était réveillé ; le nez et la fourchette en l'air il nous observait, attentif à nos moindres gestes, à nos regards croisés et complices.

– Va te coucher, mon grand, lui dit mon père.

Il avait prononcé cette phrase avec douceur, comprenant bien le désir de Stéphane de demeurer parmi nous, et je fus frappé de l'entendre dire "mon grand" à l'enfant frêle qu'était mon frère. Sans doute flatta-t-il un peu son amour-propre, le rehaussant ainsi à ses propres yeux car, après avoir reçu un baiser sonore sur chaque joue, Stéphane s'en fut sagement dans notre chambre non sans avoir jeté un dernier coup d'œil désolé à notre petit cercle.

Lorsque nous fûmes tous trois assis autour de la table je fis tous mes efforts pour paraître naturel et désinvolte, à seule fin de ne rien laisser deviner de ma jubilation intérieure. Mon père mangeait lentement, avec une certaine rigidité, appliqué et tenace dans son silence. La lampe posée entre nous charbonna un peu et le léger crépitement qu'elle fit, le distrayant une seconde, fut le prétexte, l'introduction à son monologue…

– … Paris ne sait rien encore. L'entrée des Prussiens dans la ville est confirmée mais la date n'est pas encore fixée. C'est à nous d'éviter le pire.

De la pointe de son couteau il piqua distraitement une miette restée dans son assiette, planta ses yeux dans la flamme de la lampe.

Il se pencha vers ma mère : sur le mur leurs ombres dessinaient la silhouette d'un couple d'amoureux…

– Rends-toi compte, Élise, du péril que représente pour Paris l'annonce d'une telle nouvelle ! C'est une levée en masse contre la trahison qui submergerait la ville en un clin d'œil… Surtout pas ce choc contre nos vainqueurs ! Surtout pas de sang inutile !

Ma mère hocha la tête, son visage visiblement marqué d'une rude tempête intérieure.

– Je leur ai proposé, reprit mon père, de composer une affiche que nous apposerions partout avant que la nouvelle ne se répande, pour appeler les Parisiens à se replier sur les quartiers que l'ennemi n'occupera pas. Il faut écarter toute possibilité de provocation vis-à-vis des Prussiens… Paris, c'est la France !… Tu entends, Pascal ?

Ne m'attendant pas à une question aussi directe, je restai coi, stupide et confondu ; j'avais sommeil. Mon père sourit, un peu ironique sans doute, et sa main remonta à rebrousse-poil sur ma nuque. J'étais ému par cette caresse comme s'il se fût agi d'une main étrangère, chaude et sèche.

– Va te coucher, mon garçon. Louise ne tardera plus, maintenant…

Machinalement je me levai. J'embrassai mon père et ma mère et me dirigeai vers la chambre, un peu désappointé. Elle m'arrêta :

– Pascal…

– Oui, maman.

– Fais bien attention à ton frère, veux-tu, j'ai

peur pour lui. Il est si jeune, si insouciant. On ne sait pas de quoi demain sera fait. Alors prends-le avec toi, ne le quitte pas… Bonne nuit, mon Pascal…

– Bonsoir, maman.

Il me sembla, lorsque je refermai la porte de la chambre, que j'avais beaucoup plus de poigne que d'habitude…

## 2

## LE 26 FÉVRIER 1871

L'air piquait dur encore. Dans le jardin, sous la terre froide, l'hiver tenait toujours. De mon lit, serré contre le mur près de celui de Stéphane, je voyais derrière les vitres claires courir de lourds nuages dans un ciel bas et sale. J'avais froid et faim ce matin-là. Peu pressé de me lever, craignant par avance la toilette à l'eau glacée, je passai une main sous l'oreiller à la recherche de mes "biscuits" ; ainsi j'appelais ces croûtons durcis rassemblés après nos repas dont je m'étais fait une réserve. Le pain rassis avait tout d'abord un arrière-goût de cave assez prononcé mais après l'avoir suçoté quelque temps il se ramollissait jusqu'à devenir plastique et je parvenais, en le mâchant sans hâte, à faire durer le plaisir, presque avec gourmandise.

Au déjeuner, depuis longtemps le lait manquait. Chaque jour revenait cette tisane un peu amère, ni café ni thé, décoction savante préparée par ma mère et sur laquelle j'eusse été bien incapable de mettre un nom. Malgré notre sens aigu de l'économie nous avions épuisé la réserve de pain d'épice, recette prestigieuse de gâteau fourré au miel, témoin disparu des temps d'abondance.

Tout en mâchonnant mes croûtons, j'observais Stéphane. Il dormait sur une joue, les lèvres mi-closes, dans une posture candide et paisible. De pareils abandons me semblaient inconcevables ; Stéphane était sous ma garde désormais et c'est avec vigilance que j'assurais ce poste de confiance. Plus de jeux insouciants, de cavalcades entre les moulins dans les traverses de la Butte, et bien finies les courses sonores sur les pavés du Tertre…

Stéphane se retourna en écartant les bras, remonta frileusement la couverture sous son cou, ouvrit les yeux :

– Qu'est-ce que tu manges ?

– Tu pourrais dire bonjour, au moins…

Il bougonna quelque chose d'incompréhensible et tendit la main :

– Tu m'en donnes un peu… s'il te plaît ?

Je pris le parti de le taquiner :

– Dis bonjour d'abord.

– … 'Jour. Tu m'en donnes ?

Il restait quelques croûtes très sèches émiettées entre le drap et le traversin. Je lui en tendis deux qu'il saisit avec avidité. Quand il vit le pain sec il fit la moue, hésita un instant à cause du dégoût que lui inspirait cette nourriture noire. Mais la faim étant la plus forte, il enfourna. Tandis qu'il mâchait avec difficulté, ses joues se bosselaient de façon grotesque et par contraste la gravité de son visage, sous l'effort de la mastication, augmentait encore le comique de toute sa frimousse. Loin d'en rire, je fus saisi d'une réelle pitié. Ce gosse qui n'eût dû être, à son âge, qu'un rire et une chanson, n'était plus qu'un ventre tourmenté. Louise entra dans notre chambre, posa sur la commode une pile de draps chauds repassés. Elle était souriante comme toujours, de ce sourire très tendre nuancé malgré elle d'un indicible sérieux. J'aimais beaucoup Louise. Il existait entre nous, peut-être à cause de notre différence d'âge, un lien profond, sensible, qui ne laissait place à aucune rivalité comme cela se rencontre parfois entre frère et sœur. Apercevant Stéphane, elle eut un haussement de sourcils étonné.

– Que mange-t-il ?

– Du pain. Du pain rassis…

Louise hocha la tête avec gravité, vint s'asseoir au bord du lit, lissa de sa main fine les cheveux de mon frère.

Elle frissonna.

– Allez, levez-vous tous les deux, dit-elle, le "café" est déjà dans les bols.

Je sautai sur le carrelage en enjambant le lit de Stéphane. Il me suivit d'un même bond.

– Écoutez, père Clarisse, puisque l'affiche est sur tous les murs maintenant, il n'y a plus lieu de s'inquiéter. Il faut être raisonnable.

Pourquoi craignez-vous du mouvement ? Nous avons fait notre devoir, et les canons des casernes sont bien où ils sont...

– Notre devoir ? Mais nous n'avons fait que la moitié de ce qui était décidé ! C'est vrai, j'ai peur qu'une émeute éclate quand les Prussiens entreront dans Paris. Tu connais les Parisiens... Ils vont sauter sur leurs canons !... Après tant de souffrances on ne regarde plus trop à l'ordre des choses !... Et notre affiche n'aura servi à rien !

Les deux hommes parlaient bas mais vivement ; avide d'apprendre, je ne perdais rien de leur dialogue. Les cheveux à peine démêlés, la chemise hâtivement boutonnée, j'étais en train de terminer mon déjeuner, le nez dans mon bol ; ma présence ne semblait pas les gêner.

Mon père semblait à l'aise devant son interlocuteur, un homme d'une quarantaine d'années, imberbe mais fort chevelu et vêtu avec une certaine recherche, pantalon de velours noir et jaquette ajustée. Toutefois il n'avait pas, face au père Clarisse, l'assurance qu'aurait pu lui conférer son élégance vestimentaire ; visiblement embarrassé, il s'était tu et, dans une attitude guindée, écoutait mon père :

– Laisse faire cette opération militaire, Ducatel. Les Parisiens savent aujourd'hui, officiellement, que les Prussiens occuperont Paris trois jours durant ! Il y a, pour notre part, un mois que nous sommes au courant... Mais il est indispensable, et tout de suite, de mettre à l'écart, et sous bonne garde, les canons que notre propre argent a permis de fondre. On va les amener à Belleville, à Montmartre, aux Buttes-Chaumont, partout, sur les hauteurs ! Et alors seulement nous pourrons être maîtres de cette capitale trahie ! Et sans risquer le heurt avec l'occupant...

Il y eut un silence, tout empli de la pensée des deux hommes.

– C'est le seul moyen de nous montrer forts, Ducatel !

Le bras eut un geste large :

– Va chercher nos canons ! Le 66e est chargé d'en parquer le plus possible à Montmartre, au Champ Polonais, accompagne-le !

Poussé par l'ordre, le nommé Ducatel s'était levé. À ce moment, mon père rencontra mon regard ; il allait me parler lorsqu'il se tourna vers le visiteur :

– Tiens, emmène-le donc, il a besoin de comprendre...

L'homme avait déjà franchi la porte ; j'emboîtai le pas, sans savoir où nous nous rendions, et pas très sûr d'être utile, ma veste au bout du bras...


Nous marchâmes longtemps dans Paris. Un Paris que je ne reconnus pas, une ville étrangère en ébullition dont le peuple s'était donné rendez-vous dans la rue, au coin de chaque avenue, tout au long de ces boulevards bordés d'arbres sans feuilles, pour y dire sa colère et sa résolution : la capitale, animée soudain d'une saine fièvre, reprenait son dû, ces canons inutiles que le gouvernement de

M. Thiers lui disputait.

Aux croisements de nombreuses voies, au cours de notre glissade du haut des moulins au bord de la Seine, nous vîmes surgir des groupes d'hommes en blouses, clairon en tête, défilant massivement derrière les cuivres, paquets de force intense et muette. Ils m'avaient inspiré à la fois le respect et l'envie. Parmi eux, cent fois, j'avais cru reconnaître mon père...

Ducatel n'était pas bavard et, de mon côté, j'éprouvais une vague gêne à lui parler. Ses rares phrases étaient sèches, inachevées, celles d'un homme qui n'admettait pas qu'un adolescent pût accéder au quart de ses profondes réflexions. De temps à autre, poussé par une sorte d'obligation morale, je tentais de nouer un dialogue. Ce fut en vain, jusqu'à notre arrivée au Ranelagh où une grande partie des pièces étaient parquées. Interrogé, Ducatel condescendit cette fois à m'expliquer qu'il existait beaucoup d'autres "dortoirs à canons", selon sa propre expression, disséminés dans les casernes parisiennes, mais que les nôtres, ceux destinés au Champ Polonais de Montmartre, seraient pris dans cette réserve ; nous attendîmes donc le 66e régiment de la Garde nationale auquel mon père avait fait allusion.

Midi tomba sur le terre-plein, un midi sombre et glorieux à la fois. Dans cette atmosphère angoissante où, mêlés et frères, l'armée et le peuple s'assemblaient dans une même révolte, nous attendîmes les bataillons. Des journaux titraient l'entrée prochaine des Prussiens dans Paris, par les Champs-Élysées...

Lorsque le 66e arriva, les gardes nationaux n'avaient que leur bonne volonté et beaucoup de courage pour traîner leurs canons. Les lourdes pièces, poussiéreuses et vert-de-grisées, furent donc roulées à main d'homme. Opération pénible, fébrilement accomplie, dans la crainte perpétuelle d'un heurt entre les maigres forces de l'ordre restées en place et ceux qui, légitimement, reprenaient leur bien. Car mon père avait raison comme je l'appris plus tard : les canons de la capitale appartenaient aux Parisiens ; une souscription rapidement pourvue avait permis de fondre une grande partie de l'artillerie prévue pour la défense de la place. La Garde nationale, largement aidée par la population, s'octroyait aujourd'hui le droit de reconquérir ces bouches à feu payées de ses deniers.

Bien que malaisée, cette pénible tâche fut cependant promptement menée. Ducatel observait avec anxiété l'éparpillement des pièces de bronze. Nous suivîmes un pitoyable peloton de gardes nationaux, guêtres boueuses, tuniques froissées, au milieu d'un beau désordre qui eût pu, au moindre accrochage, tourner à la catastrophe. Le soleil avait fait une pâle sortie entre deux déferlements de grisaille. Ces hommes rudes, muets et fatigués, poussaient les roues des canons comme on tourne le cabestan d'un navire, d'un effort toujours recommencé. Je n'étais pas à l'aise : les grognements des soldats, leurs efforts étouffés m'inquiétaient beaucoup plus que la giboulée qui nous lava, place Clichy. Ducatel ne parlait pas : il serrait les dents. Ma présence de toute évidence le gênait, lui interdisait je ne sais quelle action. Je marchais tête basse, craignant de croiser son regard. Depuis notre départ du Ranelagh j'observais le reflet d'une roue de canon ; à force de cahoter sur les pavés des ruelles, bien que parfaitement rongé de rouille, le bandage d'acier devenait petit à petit luisant et clair, la gangue de métal rougi s'effritant par plaques, comme une plaie dont on gratte les croûtes. Cette vision me faisait plaisir. J'avais l'impression que ce matériel abandonné reprenait vie, s'animait sous la poussée des paumes chaudes. Les roues broyaient leur propre substance, se faisaient neuves et belles.

À un carrefour, le lourd convoi s'arrêta. Les gardes nationaux se rassemblèrent sans hâte ; l'un d'eux m'agrippa au passage. J'eus, malgré moi, un mouvement de dérobade.

– Eh bien, garçon, tu as peur ?

– Moi ? Ah !...

Le soldat riait.

Ducatel, lui, m'observait en plissant les yeux. Son regard n'avait rien d'encourageant, de complice, comme celui de mon père. Entre ses cils battants il n'y avait qu'une lueur. Cela ne m'avait pas frappé tout d'abord, quand mon père lui avait parlé. Seulement maintenant j'y découvrais une sorte de faiblesse, de veulerie mal retenue, de fuite.

Je me tournai vers le soldat.

– Ça doit être lourd, dis-je vivement, pour cacher mon trouble.

– Plutôt, fiston. Mais faut ce qu'il faut ! Avec
ça, c'est la partie gagnée ! Où demeures-tu ?
questionna-t-il, après un silence.

– Au Tertre, là-haut, rue Saint-Rustique.

– Rue Saint-Rustique ? s'exclama l'homme.
Mais alors, tu dois connaître le père Clarisse ?

J'eus un sourire large, vainqueur :

– Le père Clarisse ?... C'est mon père !

Les lèvres du garde national s'ouvrirent de
surprise et de contentement. Il me considéra
de la tête aux pieds puis reprit, presque respectueusement :

– Le bonjour au père, mon gars. Tu lui diras
qu'Aubrun le salue bien. Tu te souviendras,
dis : Aubrun, du 33ᵉ ?

Ducatel semblait s'énerver. Je le négligeai,
m'adressai de nouveau au soldat :

– Aubrun, du 33ᵉ, c'est facile. Je n'oublierai
pas. Vous les menez chez nous, ces canons ?

– Eh oui, tout près de chez toi, au Tertre justement, enfin, au Champ Polonais, quoi...

– Mais qu'est-ce qu'on va en faire là-haut ?

– Tu apprendras, mon garçon, que les meil-
leures positions se trouvent sur les hauteurs,
et tu sais bien que sur ta Butte...

Ducatel, d'un geste nerveux, avait coupé le
dialogue comme d'une lame. Ses yeux devenus brillants fixèrent Aubrun mais durent
vite s'abaisser. Le soldat, brutalement raidi,
ripostait d'un regard dur.

– Eh bien, quoi ! aboya Ducatel, dites-lui tout
pendant que vous y êtes !

Aubrun haussa les épaules. Il examina son
interlocuteur, jaugea, enchaîna :

– Ne t'en fais pas, p'tit Clarisse, je ne te dévoilerais pas nos "secrets militaires" si je n'étais pas certain que ton père ne l'a fait avant moi… Ce en quoi il se trompait mais je lui sus gré d'avoir remis à sa place mon sombre garde du corps. Un sourire de mépris culbutait curieusement la moustache d'Aubrun.

Ducatel, dépité, dédaigneux, tourna les talons en direction d'un groupe d'officiers de la Garde nationale qui tenait conseil avec force gestes au coin d'une rue adjacente. L'un d'eux était assis sur la borne d'angle ; il se dirigea vers lui sans hésitation.

De cet instant, je conçus pour cet homme une aversion incontrôlée. Je le regardais s'éloigner, l'esprit tout plein de pensées bondissantes et contradictoires, lorsque Aubrun (du 33ᵉ, je me souvenais) m'attrapa l'épaule, me faisant pivoter tout d'une pièce vers lui.

– Écoute un peu, p'tit Clarisse, ton père le connaît-il bien, cet homme-là ?

Du menton, il m'avait désigné Ducatel.

Je demeurai interdit d'une telle question. Bien sûr que mon père le connaissait ! C'est lui qui m'avait enjoint de l'accompagner aux canons ! L'homme au pantalon bleu sembla tergiverser un moment, se dirigea soudain vers Ducatel, lorsque, se ravisant, il revint à ma hauteur et prononça lentement, d'une voix pénétrée :

– Il faudra que je le voie, le père Clarisse, oui, il faudra que je le voie…

La pluie se remit à tomber, légère, glaciale. Alors seulement, je m'aperçus que je n'étais qu'en paletot.

## 3

## LA NUIT DU 17 MARS 1871

J'en savais à la fois bien trop et pas assez sur les événements qui bouleversèrent notre vie, à cette époque ; je m'interrogeais, je cherchais souvent en vain un fil conducteur, un ordre logique, bref, rien ne me paraissait clair. Nous avions assisté en quelques semaines à l'entrée sans panache de l'armée allemande dans un Paris désert où les drapeaux noirs pendaient aux fenêtres, puis à la brutale suppression de journaux républicains : *Le Vengeur*, *Le Mot d'ordre*, *Le Père Duchêne* et *Le Cri du peuple* où travaillait mon père, mais aussi à la promulgation de la lourde et cruelle loi sur les loyers et échéances en retard, désormais exigibles sur l'heure ! Paris bouillait en coulisse, le ventre vide. La maigre solde des gardes nationaux, cette aumône quotidienne de 1,50 franc, n'existait plus.

Alors plus que jamais nous vîmes, Stéphane

et moi, les amis du père Clarisse entourer la table commune de leur rempart bourdonnant. Combien je me sentais fort à ces moments-là ! Chaperonnant mon jeune frère à tous instants, il me fallait non seulement exercer sur lui une vigilante surveillance, mais aussi tenir, parmi les adultes, un rang presque au-dessus de mes forces.

Je n'étais qu'un enfant et ne voulais plus l'être. Le siège, la famine, toute l'horreur de la guerre, ses séquelles secrètes, avaient nourri en moi le besoin de mûrir. Alors, mon front s'était plissé et ma mère, demeurée si longtemps le caressant refuge de mes peines de gosse, devenait une alliée, une confidente, tout comme je devins pour elle un appui confiant et zélé. Je n'étais pas, hélas, au bout de ma tâche…

Un soir, alors que pour la première fois du feu rougissait l'âtre de la salle, mon père me prit près de lui, face à face, d'homme à homme. Sans préambule, comme s'il se fût adressé à l'un de ses compagnons, il me résuma la situation :

– Pascal, mon Pascal, nous sommes – et quand je dis "nous sommes" c'est pour y englober ici tous nos camarades de bonne volonté –, nous sommes trahis et révoltés. Tu as connu, il y a peu, l'armistice honteux signé par la France devant les Prussiens : M. Thiers n'en tirera rien de bon, c'est sûr… Aussi, tu dois savoir… (il hésita) tout le reste.

C'est ainsi que j'appris la colère parisienne, cette douleur réveillée, avivée par une guerre sans gloire, la misère ouvrière inacceptable, et l'amertume dangereuse de tous ceux qui, abandonnés par un gouvernement de falots et de pleutres, décidaient soudain de reprendre à la bourgeoisie cossue et indifférente le pain de leur sueur et de leur sang. J'aurais écouté le père Clarisse des heures durant me dire les mille détours de cet éveil. Phrase par phrase, lucide et sans hargne, mon père construisait ma conscience.

Le feu léchait les briques grises du foyer d'une dentelle de soies rouges, aussi mouvantes et fugaces que les rires de Stéphane. Il faisait bon. Ma mère et ma sœur Louise, assises juste derrière nous, muettes et attentives, écoutaient. Oh ! certes, rien n'était nouveau pour elles et c'était bien moi l'initié, mais je les sentais inquiètes, ma mère surtout, craignant peut-être que la leçon ne m'exaltât trop. Je le voyais à ses tressaillements lorsque mon père enhardissait son exposé jusqu'à la critique caustique. Il démantelait pierre à pierre, méthodique, les fondements mêmes de notre société. Mais il avait le talent de ne rien détruire sans apporter les pierres neuves d'un édifice nouveau.

– Croyez-vous donc (il s'adressait dès lors à ma mère et à Louise autant qu'à moi), croyez-vous donc que le peuple tout entier n'est pas capable, s'il est bien encadré, de diriger seul les affaires de l'État ? Bien encadré ne veut pas dire bien soumis comme il l'est aujourd'hui, mais seulement instruit et conseillé par des hommes de valeur et de cœur. Nous n'avons à la tête de la France, pour le moment, ni les uns ni les autres. Et c'est pourquoi aujourd'hui, cette nuit peut-être car il se fait tard, une émeute peut éclater et, que tout soit dit.

Ma mère, surprise, releva le front :

– Cette nuit, Charles ? Pourquoi cette nuit plus qu'une autre ?

– Ce n'est pas ce que j'ai voulu dire, Élise. Il se peut qu'à partir d'une nouvelle tentative gouvernementale de reprendre nos canons – voilà trois fois déjà que la chose se produit –, les Parisiens ne supportent pas cette provocation et qu'un engagement s'amorce, spontanément. Si nos journaux n'avaient pas été interdits par Vinoy le 11 mars, si nos gouvernants se montraient plus conciliants, si moins de rigueurs injustes ne s'étaient abattues sur le peuple, aucune révolte ne serait à craindre... Mais je rêve : avec des "si", on mettrait Paris en bouteille !

Un silence. Une communion de pensées tendues. Mon père se lissa les genoux de ses mains fines, habituées à fouiller les casses d'imprimerie. L'âme de mon père était tout entière dans cette douceur du geste, à cet instant. Il se leva sans hâte, demeura bras tendu vers les braises, devant l'âtre, les yeux fixés sur les bûches écroulées. Ma mère plia son ouvrage, absorbée elle aussi par le clignement des brandons. Tirant sa montre, mon père annonça l'heure d'une voix d'automate tellement lointaine et distraite que je faillis en rire :

– Minuit trente...

– Comment ! (Ma mère avait sursauté.) Pascal, mon garçon, va vite te coucher ; tu n'as jamais veillé si tard près de nous.

Dormir, dormir : c'est vite dit ! Lorsque la pensée bouillonnante, l'inquiétude font se retourner dans son lit un adolescent (l'adolescent que j'étais), il n'y a pas de sommeil qui tienne. Les paroles de mon père me revenaient, me soulevaient, m'agitaient d'une colère sans profondeur encore mais qui trouvait sa place dans l'étonnement où me laissait la révélation de notre pitoyable sort.

Une chose m'avait frappé : pourquoi mon père, habituellement si peu disert à propos de ses craintes, s'en était-il ouvert si nettement devant moi ? S'il craignait une émeute pourquoi l'estimait-il imminente au point de ne pas s'en étonner si elle éclatait cette nuit même ? Depuis cinq jours, mon père ne travaillait plus à l'imprimerie du journal. Le dernier numéro du *Cri du peuple* avait dû paraître le 12. Je réfléchissais au sort d'hommes comme le père Clarisse, privés soudain non seulement de leur gagne-pain mais aussi – et sans doute était-ce plus dangereux – de leur liberté d'expression. Tout cela me semblait injuste et immérité…

Stéphane dormait près de moi, béat de sommeil inconscient. Pour me donner du courage, sans me douter de l'excitation naissante de mes pensées, je me jurai de faire l'impossible pour défendre mon jeune frère. Mais, tournant et retournant cette résolution en tous sens, je ne parvins pas à trouver une solution immédiate et efficace… Je restai là, parfaitement éveillé, laissant couler mes rêves et mes hardiesses… Plusieurs heures passèrent ainsi. Soudain je perçus, très faiblement, le martèlement d'une troupe en marche. Ce bruit m'était familier. Les pas étaient lointains, peu distincts, parfois étouffés par les changements de vent, et ressemblaient au broutement tenace et continu d'une bête. Je tendis l'oreille : aucun doute, on escaladait la Butte. Le cadencement se rapprochait mais restait diffus, difficile à localiser. La rue Neuve-Pigalle ? La rue Lepic ? Impossible de le discerner mais à coup sûr des hommes montaient vers le Tertre et, à pareille heure de la nuit, c'était insolite. Assis sur le lit j'écoutai, bouche ouverte. Avec précaution, retenant ma respiration, j'enjambai Stéphane et mis pied sur le carrelage sans avoir fait gémir le lit. Le froid de la chambre, le sol glacé peut-être, mais aussi je ne sais quelle ivresse devant ma propre audace me firent frissonner tandis que je passais en hâte mes vêtements. La maison dormait du même sommeil accablé que celui qui, à cette heure matinale (il pouvait être quatre heures du matin) étreignait le Tertre. Tout en laçant mes galoches, j'écoutais. Le piétinement s'enflait, devenait bruyant sur les pavés inégaux mais, contrairement à ce que j'avais entendu tout d'abord, la troupe semblait avoir rompu le pas cadencé. Sans donner l'illusion d'une débandade, le roulement s'était fait plus confus, sans rythme, pareil aux pas d'une foule un jour de grand marché.

Pour sortir, il me fallait traverser la salle commune, contourner la table ronde, atteindre la porte sans bousculer les sièges ; j'y fus aidé par la faible clarté de l'âtre où couvaient encore les braises de notre veillée. Au coin de la pièce, dans l'ombre, je me heurtai au chambranle. À tâtons je trouvai le verrou ; d'un fort calibre, se manœuvrant par une patte rivée au loquet, il n'était guère commode à tirer, d'autant moins qu'il se trouvait haut placé sur le battant. Silencieusement, je m'arc-boutai contre la paroi et tirai de toutes mes forces ; rien ne bougea. Le loquet semblait soudé à sa gâche. Je changeai de position ; des deux mains agrippées je tirai, je poussai, secouai ce verrou obstiné qui ne m'avait jamais paru si difficile à glisser. Pendant de longues minutes, perdant force et patience mais heureusement sans bruit, je luttai contre cette stupide mécanique. Au-dehors, les pas avaient décru. Comme je reprenais haleine, ma main s'appuya sur la gâche et celle-ci me parut présenter un vide anormal, là où en principe eût dû se trouver le loquet. J'explorai les ferrures du bout des doigts et compris enfin mon erreur : j'aurais pu toute la nuit user mes forces en vain, le verrou n'était pas poussé !

Toutefois, cette constatation ne me rassura pas. Puisque la porte n'était pas fermée de l'intérieur c'est que l'un d'entre nous, seul, était sorti ne pouvant refermer derrière lui. Qui ? Il n'était pas question d'aller faire, à pareille heure, le compte de la famille. Résolument j'ouvris la porte, et reculai presque aussitôt : un coup de feu venait de claquer là-bas, loin derrière la rue de la Fontanelle, sur le Champ Polonais, puis un autre suivit, un autre encore comme en écho et ce fut le silence. Un silence qui se mit à bouger, là juste devant moi, sur le seuil de notre jardinet. Un homme accroupi, jusqu'alors parfaitement immobile, dont je ne distinguais que la silhouette, le dos fort, la forme d'une casquette, venait de se redresser. Il se retourna : je reconnus mon père. Sans manifester la moindre émotion, il tendit la main vers moi et dit :

– C'est toi, Pascal ? Allez, viens, le temps n'est pas à la peur, tu sais.

Je le suivis comme dans un rêve, en allongeant le pas.

– Que se passe-t-il, papa ? C'est encore la guerre ?

– Parle plus bas. Oui, c'est peut-être la guerre, mais encore plus laide que l'autre, celle-là. Si M. Thiers vole nos canons, il faut nous défendre, et contre nos propres compatriotes.

– Alors ce n'est plus contre les Prussiens qu'il faudra se battre, mais contre des Français, nos soldats ?

Le père Clarisse ne parut pas entendre ou négligea de répondre. En tournant le coin de la rue des Rosiers*, nous vîmes quelques gendarmes, au bout de la ruelle, qui roulaient à bras une grosse pièce de 7, une de celles que j'avais vu hisser sur la Butte avec tant de peine, poussée par les gardes nationaux. Nous nous

---

* Cette rue est remplacée aujourd'hui, partiellement, par la rue du Chevalier-de-la-Barre.

jetâmes dans une encoignure et là seulement
mon père répondit à ma question :
– Si ceux-là venaient à frapper Stéphane, tu
ne le défendrais pas ?
Levant les yeux vers son visage je vis luire, sous
sa blouse, la culasse d'un long fusil chassepot…
Et je compris que moi aussi sans doute, le
moment venu, je saurais protéger mon frère.

Paris blanchissait dans l'aube. Sous un ciel
encore lourd et lent, quelques cheminées
fumaient maigrement, à petites volutes éco-
nomes et parcimonieuses. Ni vent ni pluie,
un air sec, sonore, presque tiède déjà du printemps proche. Le soleil bas tirait des ombres
démesurées jusqu'au Champ Polonais où
quelques factionnaires de la Garde nationale
veillaient sur les cent soixante et onze pièces
de 7 qui y avaient été rangées, avec leurs cais-
sons de munitions serrés près d'elles. Un réseau
de tranchées mal entretenues, comblées par
endroit, ceinturait la réserve des canons de
Montmartre dont la plupart n'avaient jamais
tiré un obus.
Mon père et moi étions repassés rue Saint-
Rustique pour y déposer le fusil, beaucoup
trop compromettant. Longeant les hauts de
la Butte, près des moulins, nous fûmes surpris
de découvrir sur une palissade de bois encore
dégouttante de colle fraîche, une large affiche
signée Thiers. Mon père s'arrêta net, cloué sur
place ; il se pencha un peu et marcha vers le
panneau luisant :

# RÉPUBLIQUE FRANÇAISE
## LIBERTÉ - ÉGALITÉ - FRATERNITÉ

### GARDES NATIONAUX DE PARIS

On répand le bruit absurde que le Gouvernement prépare un coup d'État.

Le Gouvernement de la République n'a et ne peut avoir d'autre but que le salut de la République. Les mesures qu'il a prises étaient indispensables au maintien de l'ordre ; il a voulu et il veut en finir avec un comité insurrectionnel, dont les membres, presque tous inconnus de la population, ne représentent que des doctrines communistes et mettraient Paris au pillage et la France au tombeau, si la Garde nationale et l'armée ne se levaient pour défendre, d'un commun accord, la Patrie et la République.

Paris, le 18 mars 1871.

A. THIERS, DUFAURE, E. PICARD, Jules FAVRE, Jules SIMON, POUYER-QUERTIER, Général LE FLO, Amiral POTHUAU, LAMBRECHT, DE LARCY.

Le père Clarisse eut un haut-le-corps :

– As-tu lu, Pascal, ce torchon ? murmura-t-il sans quitter l'affiche des yeux.

J'avais lu, sans bien comprendre, saisi tout de même par l'ambiguïté du texte et l'impression qu'il ne pouvait, une fois encore, qu'accentuer la colère des Parisiens contre nos gouvernants. Mon père fit un pas, tendit le bras. Ce qui se passa ensuite fut rapide et brutal ; j'entendis en même temps la déchirure de l'affiche, le claquement pointu, résonnant, d'un coup de feu, et le bruit que fit dans ma tête le choc de mon crâne contre la palissade. Un peu étourdi, effrayé aussi, je vis mon père rassembler tranquillement les lambeaux de l'affiche et les pousser du bout du pied dans le ruisseau, comme s'il se fût agi d'une chose répugnante et dangereuse. Je compris enfin qu'un gendarme, posté au bout de la rue, nous observant et prévoyant sans doute le geste de rage de mon père, n'avait pas hésité à tirer sur lui ; la balle n'était pas loin, logée dans le bois deux doigts au-dessus de mon oreille à la place même que j'occupais lorsque, d'un geste sûr, il m'avait fait passer derrière lui. Ma tête avait seulement heurté la planche un peu rudement...

À peine remis de mon émotion, je n'eus que la force de courir à toutes jambes derrière mon père, m'engouffrant avec lui dans la première ruelle montante au bout de laquelle nous débouchâmes sur le Champ Polonais. Là, dans le matin pâle, un spectacle étonnant s'offrait à nos yeux. Tout un régiment était sur place, l'arme au pied. Quelques-uns de nos canons, parqués la veille encore sur ce terrain glaiseux, avaient été descendus jusqu'à mi-pente comme ils étaient montés, à bras d'homme faute d'attelages et de chevaux. Des soldats s'affairaient autour d'autres pièces, poussaient sur les rayons des larges roues ferrées pour tenter de dégager leurs moyeux embourbés. Un officier à cheval, très droit, très excité aussi, criait des ordres exaspérés. Des gardes nationaux du 61e bataillon, gardiens de notre artillerie, assistaient impuissants au pillage.

Mon père me saisit le bras, le serrant à m'en faire mal :

– Va chercher ta mère, Louise, ton frère, les voisins, tout le monde ! Vite, vite ! C'est une question de minutes ! Une fois de plus ils volent nos canons ! Tu entends ? Versailles vole nos canons ! Dépêche-toi ! Viens me rejoindre ici avec les autres !

Et, dans le matin clair de cette journée où tout devait se nouer d'un seul coup, à l'écart d'un Paris encore calme et sans méfiance, la Butte Montmartre retentit soudain du bruit claquant de mes galoches, de mes cris d'alarme puérils et dérisoires, haletés par ma course :

– Maman, Louise, Stéphane, tout le monde ! Venez vite ! Ils nous volent nos canons !…

Au loin, affolante et affolée, une voix de femme cria en écho :

– Aux armes !… Trahison !…

# 4

## ÉMILE

Mon désappointement fut grand lorsque j'arrivai au Tertre. Mes appels tombaient à plat. Les voisins, nos amis, toute la population montmartroise déjà bien éveillée (il était sept heures du matin) montait vers le Champ Polonais. Sans cris, sans précipitation, une foule dense s'animait. Quelques gardes nationaux, hâves, souvent hirsutes, la tunique mal boutonnée, semaient dans les groupes une tache bleue de force armée. La plupart des femmes portaient leurs boîtes à lait, leurs filets à provisions, tout ce que dans la surprise elles n'avaient pu abandonner au moment de l'alerte. La rue Saint-Rustique, avec ses gros pavés ronds comme des dos de tortues, était déserte. Je courus jusqu'à la maison.

Louise m'attendait, patiente, Stéphane pendu à ses jupes, aussi rouge qu'une pomme et frotté de savon. La salle était fraîche et claire, comme lavée des sombres propos de la veille ; près de la cuisinière de fonte noire, la cafetière bleue, patinée par de longues années de service, fumait. Et sa vapeur me portait l'odeur rassurante des dimanches d'autrefois, lorsqu'il n'y avait ni guerre ni famine.

– Veux-tu du café, Pascal, du vrai café ?

Louise clignait de l'œil avec malice.

– Mais il faut venir tout de suite, Louise ! Tout de suite ! Papa dit qu'ils nous volent nos canons ! haletai-je.

Elle eut ce sourire tranquille et attendri que je lui connaissais bien pour répondre :

– Je suis au courant, oui, je sais, j'irai plus tard. Mais il faut que tu gardes Stéphane maintenant. Tu es en nage, va te laver et te changer, tu t'es levé très tôt, ce matin…

– Très tôt ? Comment le sais-tu ?

J'aurais voulu me révolter de voir ainsi ma fugue matinale tournée en dérision mais vraiment le sourire de Louise était désarmant.

– J'ai bien ri, dit-elle, j'ai bien ri de te voir batailler contre cette porte ouverte, cette nuit. Papa venait de sortir : je n'ai pas craint pour toi !

– Pas craint pour moi ! Oui mais tu n'as pas vu le reste ! Le gendarme, le coup de fusil dans la palissade, tu ne l'as pas vu non plus !

– Quel coup de fusil ? demanda Louise, soudain inquiète.

J'étais ravi d'avoir enfin produit un petit effet. Stéphane m'examinait d'un œil arrondi, lèvres entrouvertes. Il leva les yeux vers le chassepot pendu par le pontet à un fort piton, au coin de l'armoire.

– Il est là, le fusil, constata-t-il, naïf.

– Celui-là, oui, il est à sa place, c'est sûr ! Mais celui du gendarme est toujours là-haut, au Champ Polonais, prêt à tirer si ça se trouve !... Je ne savais plus que dire pour faire passer la gravité de ce que je venais de vivre et qui semblait si peu les toucher...

Louise m'examina sérieusement, troublée par ma réponse. Stéphane courut autour de la table et me prit la main :

– Tu m'emmènes, dis Pascal, tu m'emmènes au Champ Polonais ?

Il avait repris sa petite voix suppliante et candide, pleine de juvénile innocence. Louise ne souriait plus du tout. Elle entra dans la chambre de nos parents où je l'entendis chuchoter quelques mots auxquels répondit la voix montante de maman, jusqu'à son apparition sur le seuil de la salle commune où elle se figea :

– ... Mais alors c'est grave, c'est très grave, disait-elle, il faut immédiatement réagir, courir avec les autres, nous défendre !

Son regard s'arrêta sur moi :

– Où sont-ils ?

– Là-haut, maman... au Champ Polonais... L'armée et la Garde nationale sont face à face ! Il ne s'est rien passé... Pas encore...

Ma mère décrocha le châle de laine dont elle s'enveloppait les épaules depuis le début des grands froids, ce châle râpé qui portait, à lui seul, toutes les marques de nos misères quotidiennes. Stéphane resta près de moi et nous la suivîmes du regard jusqu'à ce que l'ombre de sa longue jupe eût disparu au coin du jardinet. Mais elle revint aussitôt, préoccupée. Me prenant par le cou, elle murmura, comme en confidence :

– Prends Stéphane avec toi, Pascal. Tu connais bien le chemin pour aller chez Guillaume, rue de la Roquette ? Eh bien, partez tous les deux là-bas, c'est plus sûr, plus prudent. À cette heure, Paris sera encore tranquille, s'il doit y avoir du vilain. Évite les rues trop larges, les grandes places. Cours mon grand, va… Embrasse-moi, Pascal…

Il me sembla – je ne compris pas pourquoi – qu'il y avait de la détresse dans sa voix ; haussant Stéphane jusqu'à sa joue, elle posa sur la sienne ce lourd baiser tendre que nous aimions tous. Le soleil avait envahi le dallage rouge de la salle commune. Louise, en robe claire, faisait près de la table une grande tache de lumière. Je me rappelle trop bien cet instant ; il occupe ma mémoire à un point tel qu'il a dû effacer, par sa fraîcheur, les souvenirs d'autres lieux, d'autres moments dramatiques que je vécus quelques semaines plus tard… Puis tout se remet en route, l'image fixée se réanime, Stéphane se retrouve par terre, Louise court chercher dans notre chambre quelques vêtements chauds, un petit repas de route noué d'un torchon que je prends sous mon bras, et ma mère à nouveau sereine place Stéphane entre nous, nous entraîne par la rue Saint-Rustique jusqu'au Tertre où elle nous laisse partir, main dans la main, Stéphane sautillant, moi droit comme un I, tout rempli du sérieux de la mission et de la gravité du rôle.

Tous les chemins mènent à Rome, dit-on, mais beaucoup de rues parisiennes conduisent à la Bastille, en partant de Montmartre. Je n'eus pas de mal à trouver ma route, me fiant plus à la pente qu'aux plaques des rues que je connaissais mal. Après quelques détours imprévisibles nous arrivâmes en vue du boulevard Voltaire. Mon frère trottait auprès de moi, les yeux écarquillés, le souffle court, facilement conquis et admirateur volubile des troupes que nous croisions. Car, au contraire de ce qu'avait pressenti notre mère, et bien que nous eussions suivi son conseil jusqu'à la place du Château-d'Eau de nous écarter des grandes voies, notre périple à travers Paris nous faisait découvrir l'extraordinaire animation qui soulevait la capitale, ce matin du 18 mars. Soldats, gardes nationaux mêlés à la population grouillaient et couraient dans les rues. La moindre ruelle, qui ne devait retentir d'ordinaire que de l'appel du marchand de peaux de lapins ou de la longue plainte modulée du vitrier, se trouvait parcourue de gens pressés, souvent occupés à en dépaver la chaussée. Stéphane et moi assistions à ce spectacle pour la première fois. Le père Clarisse racontait bien quelquefois des épisodes de soulèvements populaires des années passées, les constructions spontanées de barricades qui les accompagnaient, mais nous n'avions jamais vu cette étonnante floraison de châteaux des rues, construits d'un art indéniable, efficaces et terribles avec leurs meurtrières et leurs chicanes, ou quelques autres branlants et cocasses faits d'assemblages hétéroclites qui tenaient plus du décor que de la stratégie. Mais le fait était là : Paris se retranchait, s'enfermait dans un réseau serré condamnant toute issue. Au long d'une seule rue il n'était pas rare de trouver plusieurs de ces fortifications improvisées, s'épaulant les unes derrière les autres. Cependant, je ne me sentais pas en sécurité. Si j'avais été seul à toucher du doigt la dangereuse réalité des rues, je n'eusse rien craint ; mais Stéphane m'accompagnait et je me devais de penser d'abord à sa protection et non à mon propre salut.

Le soleil, moins timide, caressait les pavés entassés. Au fur et à mesure de notre avance vers la rue de la Roquette, les barricades se faisaient plus hautes et les voix montaient aussi, s'excitaient, s'accordaient sur une note chantante. Onze heures sonnèrent à notre passage devant Saint-Ambroise. Stéphane s'arrêta d'un seul coup, s'assit sur les marches grises du parvis et déclara sans ambages qu'il n'irait pas plus loin parce que fatigué et affamé. Si ma première réaction fut de le secouer un peu, je compris bien vite mon erreur en le voyant pâle et contrit. Du balluchon je tirai la demi-boule de pain, les harengs fumés et les oignons préparés par Louise et m'assis près de mon frère. Je n'ai jamais beaucoup apprécié le hareng, même accompagné d'oignon cru, tandis que Stéphane, toujours en appétit, se jeta sur sa portion avec avidité. Mais après avoir avalé coup sur coup deux bouchées de pain gris, il réclama à boire. Une fontaine se trouvait au coin d'une impasse proche ; j'abandonnai Stéphane à son repas et partis lui emplir un gobelet d'eau. À mon retour, ma surprise fut grande de l'apercevoir partageant avec un jeune garçon le reste de son repas. Quand ils me virent approcher, ni l'un ni l'autre n'eut d'autre réaction qu'un sourire de malicieuse complicité. Pendant que mon frère buvait à petites lampées, j'examinai le garçon, maigre et nerveux, pas très propre, empanaché d'une surprenante tignasse rousse en racines de poireaux débordant de sa casquette, les yeux clairs, purs et beaux comme ceux de mon père. Nu-pieds dans des sabots, vêtu d'un pantalon trop ample de toile grise et d'une chemise sans teinte, il avait cette allure déguisée d'enfant qui n'a jamais eu d'effets à sa taille ; l'ensemble était sympathique et franc.

– Ça ne t'ennuie pas que je mange avec ton copain ?

– Ce n'est pas mon copain, c'est mon frère.

– Ah ! excuse ! Alors, ça ne t'ennuie pas ?

J'hésitai :

– Ben… non, pas du tout… D'ailleurs si Stéphane a partagé avec toi, c'est qu'il devait avoir un peu moins faim…

Ma réponse était franchement maladroite : Stéphane passait pour égoïste, ce n'était pas du

tout ce que j'avais voulu dire. Furieux contre
moi-même, je tentai une explication embrouil-
lée que le garçon roux coupa à propos.

– Il a de la chance, ton frère, mon vieux. Moi,
j'ai toujours l'impression d'avoir sauté un repas. Des fois, j'ai des jours de veine : hier soir,
par exemple. Une soupe, tiens, je ne te dis que
ça : jamais aussi bonne et jamais tant eu…

Ses yeux brillèrent d'un éclat gourmand, fugi-
tif, qui fit place à une morne tristesse.

– C'est tout de même bête, d'avoir faim…

Aujourd'hui, me remémorant cette scène,
l'image s'efface, le décor s'estompe. Seule
reste l'extraordinaire clarté du regard : il y eut,
à cette époque, tant d'enfants affamés dans
Paris que le cœur me serre d'y repenser…

On bavarda. Nous apprîmes de notre nouveau
compagnon qu'il se prénommait Émile ; il
avait quinze ans, comme moi. Sa mère, après
des mois d'interminable faiblesse, était morte
doucement, comme s'éteignent les bougies,
d'une maladie sans nom. Son père, profondément affecté de cette disparition, n'avait pu
supporter longtemps la solitude du logement
où ils vivaient tous trois et, malade de cha-
grin, avait confié son fils et ses biens à deux
vieux voisins afin d'oublier par l'exil les lieux
de son malheur ; il travaillait en province, près
de son village natal, et lui écrivait souvent.

– Il est loin ?

– Il a trouvé un emploi dans une papeterie,
du côté du plateau de Millevaches, en
Auvergne. Tous les samedis, j'ai une lettre de
lui. Je crois qu'il est bien…

Émile arrêta là ses confidences, estimant en avoir assez dit à des amis de rencontre. Mais il continua la conversation engagée et s'offrit de nous accompagner. Alors nous reprîmes ensemble le chemin de la rue de la Roquette, rassasiés, heureux, bavards et insouciants.

Sans doute aurions-nous pu rejoindre la demeure de Guillaume sans incident si la foule, place de la Bastille, n'avait été si dense. Une masse muette, compacte, barrait le chemin. Il faisait très beau ; dans les tignasses de Stéphane et d'Émile le soleil jouait à saute-reflets. Mais notre ami ne voyait pas ce ciel redevenu clair, ne semblait pas sentir le vent léger qui caressait nos joues : il se taisait. Ennui, repli, préoccupation… je ne sus jamais découvrir, chez Émile, la raison des silences qui le rendirent parfois si froid…

La place de la Bastille demeurait impraticable. Nous avions bien tenté de nous glisser, par un mouvement tournant, vers l'entrée de la rue de la Roquette mais Stéphane avait failli se perdre et j'avais dû renoncer. Ce que nous ne comprenions pas, c'était ce calme épais et silencieux. La foule en effet ne manifestait pas, dans ce quartier, avec cette ferveur enjouée rencontrée au long de notre course. On y sentait plutôt le recueillement, l'atmosphère tendue réservée aux événements graves. Que se passait-il donc derrière la barrière humaine de la Bastille ?

Émile, soudain, me saisit le bras :

– Viens, je connais le coin.

Le ton, sans être autoritaire, disait la fermeté,

la résolution, l'assurance de soi. Stéphane, interloqué, avait regardé Émile puis interrogé du regard le grand frère qui se laissait mener ainsi. Mon sourire l'avait rassuré.

Par un dédale de ruelles, de cours d'immeubles, nous parvînmes sous le porche d'une fabrique de papiers peints où suintait l'odeur des colles fermentées et des encres fraîches. Puis Émile poussa un lourd vantail : nous étions sur le trottoir de la rue de la Roquette ! Un spectacle inattendu, extraordinaire, s'offrait à nous : cette rue, comme tant d'autres, garnie de remparts de pavés, occupée par la foule et de nombreux gardes nationaux, s'imposait un silence insolite. À l'instant même où nous nous retrouvâmes sur l'étroit trottoir, nous vîmes avancer, sous les monceaux tremblants des couronnes de fleurs, un lourd char funèbre qui se frayait lentement un chemin sinueux entre les chicanes des barricades. Derrière la voiture noire, droit, digne, les yeux rougis obstinément fixés à terre, un vieillard en costume marchait, suivi d'une foule dense et recueillie. Il tenait sa belle barbe blanche contre sa poitrine. Stéphane, bouche bée, ouvrait ses yeux ronds d'enfant curieux. Émile, fier, roux, jambes campées, avait retiré sa casquette. Décontenancé, je le poussai du coude ; il ne répondit pas à cet appel. Autour de nous, les fusils s'abaissèrent, les pavés s'éparpillèrent pour laisser passer le convoi. Les gardes nationaux présentèrent les armes.

Près de moi, un homme jeune, vêtu comme

un artiste, griffonnait des notes sur un cahier
aux pages quadrillées ; me penchant sur son
bras, je lus, ébloui, interdit :

*"Victor Hugo mène au Père-Lachaise le corps de
son fils Charles. Les fédérés présentent les armes
et entrouvrent les barricades pour laisser passer la
gloire et la mort\*."*

---

\* *In* Histoire de la Commune de 1871 *de Prosper Olivier Lissaga-*
*ray, journaliste et historien français (publiée à Bruxelles en 1876).*

## 5

# OÙ IL EST À NOUVEAU QUESTION
# DE DUCATEL

L'oncle Guillaume était absent. Nous avions en vain frappé à sa porte avec insistance. Le concierge nous apprit, goguenard mais précis, que Guillaume Bonnaire (l'oncle est le frère de notre mère) n'était pas rentré la veille au soir, et lui avait laissé entendre qu'il ne réapparaîtrait pas de plusieurs jours.

La nouvelle fut accueillie sans émoi ; bien sûr Émile s'en désintéressait et, de son côté, Stéphane était bien trop jeune pour s'émouvoir de ce contretemps. Il se contenta de garder un doigt sur la bouche, absorbé dans la contemplation du nez rubicond du concierge. Pour ma part, l'absence de l'oncle Guillaume signifiait le retour immédiat rue Saint-Rustique : après tout, la promenade valait la peine. Une préoccupation me vint, toutefois : qu'allions-nous faire d'Émile ? Ce copain d'infortune et de rencontre, si sympathique, ne semblait pas envisager un instant le retour chez ces voisins adoptifs qui l'hébergeaient. Mais alors, que dirait notre mère ?

Sans ambages, il coupa court à mes hésitations en déclarant tout net qu'il nous accompagnait jusqu'au Tertre. Sa remarquable connaissance de Paris fut précieuse ; chaque rue lui était familière, remplie de souvenirs, de détails, d'impressions : il habitait Paris comme Paris l'habitait. De la Bastille à Montmartre, dans cette ville bouleversée depuis l'aube, semée de carrefour en carrefour de collines de pavés, de troupes, d'attelages de canons roulés aux barricades, nous regrimpâmes vers la Butte, au soleil déclinant, hardis, confiants, jacasseurs comme un vol de moineaux qui, de toit en toit, parcourt une ville entière sans en voir les rues. Cependant, à notre arrivée à Montmartre, une agitation anormale nous frappa : à l'approche du Champ Polonais où nos canons restaient parqués cette fois pour de bon, la tour Solférino était le centre d'une foule agitée, grondeuse, hérissée de fusils et de baïonnettes. Y circulaient, sans distinction, des gardes nationaux toujours aussi mal rasés, des ménagères très pâles au regard anxieux et la masse murmurante des hommes du Tertre visiblement énervés. Au passage, rue Muller déjà, dans cette voie pentue qui montait comme un cri jusqu'au sommet de la Butte, nous avions entendu une rumeur inquiétante, répétée en litanie :

– Mais pourquoi, pourquoi ? disaient les voix.

Pourquoi les ont-ils fusillés ?

– C'est lourd, très lourd, une affaire comme ça, je préfère ne plus y être mêlé, avait dit devant nous Georges Clemenceau, le jeune maire de Montmartre.

Tous ces bruits m'inquiétaient. Émile, pour la première fois, m'interrogea des yeux, muette question d'un étranger à son interprète en pays inconnu.

– Je ne sais pas, je ne sais rien, il s'est passé quelque chose de grave, forcément. Mon père nous expliquera, dépêchons-nous.

Nous allongeâmes le pas. La rue Saint-Rustique conservait son aspect calme, hospitalier, quasi campagnard ; il n'y avait personne dans le jardinet de façade. Nous entrâmes tous trois dans la salle commune assombrie par le crépuscule, Stéphane en tête, sourire aux lèvres et balluchon sur l'épaule, Émile ensuite, intimidé soudain et que je dus pousser d'une tape amicale pour lui faire franchir le pas de la porte ; il ôta sa casquette. Sur les dalles, nos galoches rompirent en claquant le silence de la maison. Rien ne bougea d'abord. Puis les graviers crissèrent le long de l'appentis et Louise surgit derrière nous, les yeux ronds, tout étonnée de nous retrouver là :

– Mais que faites-vous ici ? Je vous croyais chez l'oncle Guillaume, nous dit-elle, examinant Émile de la tête aux pieds.

Notre arrivée l'avait surprise en pleine lessive et, tandis qu'elle nous parlait, elle s'essuyait les mains à son tablier gris, embarrassée et indécise.

– C'est Émile, dit Stéphane, il est venu avec nous parce qu'il est tout seul…

– Tout seul ?

Louise dévisagea notre camarade, sceptique mais apitoyée. Émile secoua la tête pour confirmer mais ne dit mot. Ma sœur se tourna vers moi.

– Il est orphelin, dis-je, très gêné, son père est parti en Auvergne pour y travailler. Il habite chez des voisins… C'est bien ça, Émile ?

Je posai la main sur son bras. Il hocha de nouveau son casque roux en signe d'acquiescement, balança son regard entre nos trois visages, et prit soudain le parti d'aller vers la porte. D'un bond, je lui barrai la route.

– Émile, Émile, tu restes avec nous, bien sûr ! Dis, Louise, il reste avec nous, nous n'allons pas le laisser partir comme ça ?

Je l'avais saisi par ses bretelles et le tirais vers nous. La porte s'ouvrit, mon père parut :

– Tiens !… les enfants ! Que faites-vous à la maison ? Votre mère m'avait dit vous avoir expédiés chez Guillaume ? Et puis la famille s'agrandit, à ce que je vois… Qui est-ce, ce grand gaillard là ? dit-il en désignant un Émile plutôt pâle, dont les taches de rousseur n'étaient plus qu'une ponctuation du visage. D'une traite je fis le récit de nos pérégrinations à travers Paris insurgé, notre surprise de trouver close la porte de l'oncle Guillaume, puis, pêle-mêle, la rencontre avec Émile sur le parvis de Saint-Ambroise, le peu que je savais de son histoire, marquant quelque embarras à expliquer sa présence ici, mais tout prêt à plaider sa cause. Mon père abaissa sur le nouveau venu son regard bleu, sembla réfléchir un moment, s'assit avec lassitude sur un tabouret près de la table puis, passant une main devant ses yeux dit tout à coup, revenant à l'essentiel :

– Je crois qu'ils ont tué Turpin, ce matin, en voulant reprendre nos canons. Le pauvre diable était de garde, ils ont tiré… Mais les fédérés, ce soir, ont fusillé deux généraux. Ça ne vaut pas mieux. Le sang pour le sang, quelle absurdité !

Louise se pencha sur lui, presque maternelle ; elle murmura :

– Tout n'est pas perdu, papa : Montmartre est libre et Paris se libère. Demain sera mieux. Ton journal va reparaître, tu retrouveras ton travail… Tout ira bien…

Le père Clarisse haussa des épaules lasses, resta pensif. Parcourant des yeux la salle commune où s'installait la nuit, il releva la tête d'un mouvement du menton, montrant Émile resté dans l'ombre et dit soudain, comme d'une évidence :

– Quant à lui, on le garde bien sûr…

Émile n'eut aucun geste de surprise ou de joie. Placé près de lui, je l'entendis murmurer, dans un souffle timide qui ne lui ressemblait pas :

– Merci, m'sieur.

Nous dûmes pousser nos lits pour laisser la place nécessaire à un troisième couchage. Louise s'était rendu chez les voisins d'Émile pour les avertir de notre provisoire adoption. Ceux-ci demeuraient rue de Charonne et sa démarche demanda plus de deux heures d'horloge, mais elle revint avec l'acceptation de ce curieux marché où chacun trouvait son compte : les voisins tout d'abord, soulagés pour un temps d'une lourde responsabilité, Stéphane, Louise et moi-même, ravis de la présence d'Émile, nos parents enfin, heureux comme chaque fois de nous savoir heureux.

Autour de la table familiale les langues allèrent bon train pendant notre dîner. Voilà bien encore un remarquable souvenir de mon adolescence... Dans un jacassement un peu futile parfois, je l'avoue, eu égard aux graves événements du jour, chacun raconta avec force détails ses petites heures et ses grands moments.

C'est volontairement que je n'ai encore rien dit de l'attitude de notre mère en cette soirée. Elle n'arriva que quelques instants après mon père, son sac à provisions au bout du bras, toujours sereine, souriante comme était Louise. Lorsque nous lui eûmes exposé la situation, l'absence de l'oncle Guillaume, la présence d'Émile, ce fut elle qui envoya notre sœur rue de Charonne, repoussa nos lits, éplucha quelques légumes de plus. Et de temps à autre, tandis que Stéphane jouait autour de la table, elle lançait à mon père un regard complice, amusé, tout comme si l'adoption de notre nouvel ami n'avait été qu'une facétie. Et, par la seule tendresse qu'elle lui témoigna spontanément, il devint à la fois son fils et notre frère, sans un mot, sans affectation.

Ce soir-là, passant sur les cheveux d'Émile, comme par mégarde, ses doigts de mère vigilante et trouvant la tignasse suspecte, elle lui savonna aussitôt la tête sous un broc d'eau tiède avec cette ferme patience à laquelle nous ne résistions pas. Cette ablution inattendue ne fit rire personne malgré l'inénarrable drôlerie d'un Émile coiffé de sa perruque rousse ruisselante qui croulait jusqu'à son nez et nous cachait ses yeux.

Lorsque, l'heure tardive et la fatigue aidant, nos yeux commencèrent de se fermer, nous regagnâmes notre chambre. Louise avait placé sur la commode la grosse lampe à pétrole à réservoir de cuivre ; nous nous déshabillâmes rapidement en silence. Quand elle revint pour souffler la mèche nous étions prêts pour le "bonsoir" traditionnel. Mais alors qu'il était d'ordinaire bref et parfois distrait, il fut ce soir-là puéril et comique ; nous étions tellement empruntés que nos parents éclatèrent de rire en nous voyant apparaître, Stéphane en tête de file, un large sourire aux lèvres, Émile deux pas derrière ne sachant trop quelle contenance prendre, et moi fermant la marche d'un air sans doute gêné, satisfait tout de même de notre solennelle apparition. Et je me souviens fort bien que Louise, nos parents, nous embrassèrent sur les deux joues marquant pour notre ami la même affectueuse tendresse. Nos chemises de nuit décrivirent un cercle autour de la table, glissèrent dans la pénombre de la lampe et s'engouffrèrent dans la nuit de la chambre ; nous gagnâmes nos lits à tâtons.

Très vite me parvint la calme respiration de Stéphane puis celle, plus agitée, d'Émile. À travers la porte de notre chambre filtrait le chuchotement des voix de Louise et de mes parents.

Il était très tard déjà lorsque quelques coups discrets furent frappés à la porte d'entrée. Un silence suivit que ma mère suspendit brusquement d'une voix où perçait l'inquiétude :

– Entrez…

J'entendis distinctement le "chut" qu'ils firent à l'arrivant et les pas plus précautionneux qui s'ensuivirent. Quelques bonsoirs s'échangèrent à voix basse, un tabouret racla le dallage de la salle. Silence.

– Qu'est-ce qui t'amène à cette heure, Ducatel ? dit tout à coup mon père.

– Deux choses, père Clarisse – la voix était captieuse. D'abord Paris est entièrement à la merci des insurgés, à l'heure qu'il est, justement. Un drapeau rouge flotte sur l'Hôtel de Ville ; là, je ne vous apprends rien sans doute, car je vous sais très renseigné. Ensuite, vos affiches ont été lues, bien sûr, et c'est dommage vu le tour pris par l'affaire…

J'entendis mon père bondir, son siège brutalement rejeté ; je l'imaginais debout, les mains sur la table, fixant l'homme.

– C'est à moi que tu viens dire ça ? gronda-t-il. À moi qui ai tout fait pour empêcher la fusillade d'aujourd'hui, à moi qui ai empoigné des hommes au collet – à mon âge, te rends-tu compte ? – pour tenter de les mettre à la raison ! Ah ! non ! Ducatel ! Tu exagères un peu ! Un temps mort suivit ; le visiteur n'avait pas dû prévoir cette riposte véhémente. Les fortes intonations du père Clarisse n'avaient pas troublé les paisibles sommeils de Stéphane et d'Émile. Je perçus le léger raclement de gorge de Ducatel. D'une voix lente, moelleuse, insidieuse, il fit remarquer que certains termes des affiches placardées à Montmartre, après les tentatives infructueuses du gouvernement pour reprendre les canons du Champ Polonais, n'avaient fait qu'exacerber la "hargne populaire" (c'était bien là une expression à lui…), entraînant les masses vers l'émeute et la rébellion. Le père Clarisse ne répondit pas. L'horloge battait la mesure d'une scène dramatique. Ma mère et Louise, que je devinais attentives et prudentes, échangèrent quelques mots furtifs que je ne compris pas. Puis la voix de mon père s'éleva soudain, étrangement calme, d'un timbre inhabituel :

– Avec le Comité central de la Garde nationale, j'ai participé à la rédaction de plusieurs affiches ; je suis délégué du 18e arrondissement et à ce titre j'ai signé l'Affiche Rouge du 7 janvier : tout cela est exact. Lorsque les Prussiens envisagèrent d'entrer dans Paris, on me demanda conseil avant de rédiger celle qui, justement, invitait les Parisiens au calme. Quand, du 8 au 16 mars, furent tentées trois scandaleuses expéditions versaillaises pour nous voler les canons montmartrois j'ai, chaque fois, mis la main aux textes des affiches appelant à la vigilance, à la vigilance seule, Ducatel, jamais au meurtre !

Il avait crié les derniers mots.

– Un instant s'il vous plaît, laissez-moi parler, laissez-moi vous parler (il appuya beaucoup sur ce voussoiement insolite) une dernière fois. Ça vous étonne, Ducatel ? C'est exactement la dernière fois que je vous adresse la parole. La présence de ma femme et de ma fille m'interdit d'être plus direct…

La fin de la phrase plana mais il reprit aussitôt, clouant net l'éventuelle réplique de son interlocuteur.

– Je vous prenais pour un homme de cœur, un authentique républicain. Je me suis trompé. Maintenant que les faits sont là, les Prussiens aux portes de Paris et Paris, non aux mains d'insurgés comme vous aimez le clamer, mais d'hommes décidés à faire régner la justice sociale, je m'aperçois, heureusement à temps, de l'inutile confiance accordée à certains ! Dont vous êtes !

– Mais, père Clarisse, vous vous méprenez, je n'ai pas voulu dire…

La voix de mon père claqua :

– Vous n'avez pas voulu dire mais vous laissez clairement entendre que le regrettable comportement des quelques égarés qui ont, cet après-midi, fusillé deux généraux rue des Rosiers, à deux pas d'ici, n'ont agi que sur les directives d'affiches rédigées par mes soins, c'est clair, n'est-ce pas ? Monsieur Ducatel, poursuivit mon père, glacial, je ne suis pas responsable de violences que ma conscience réprouve et condamne.

Un siège craqua ; il avait dû se rasseoir, las sans doute de cette altercation stérile.

– Partez, Ducatel, partez et ne revenez pas, c'est préférable. Vous connaissez le chemin de la porte… Je vous en prie.

– Écoutez, père Clarisse…

– Monsieur Clarisse, rectifia la voix de mon père. D'ailleurs, ajouta-t-il, je n'ai rien à vous dire de plus et encore moins le temps d'entendre vos raisons. Il se fait tard, la nuit porte conseil, réfléchissez à l'énormité de vos propos. Adieu, monsieur Ducatel…

Quatre tabourets raclèrent en même temps le carrelage. Je tendis l'oreille, curieux de connaître l'issue de l'entretien. Un seul bruit de pas décrut vers la porte, le loquet fit entendre son cliquetis familier.

– Alors… bonsoir, fit Ducatel, très bas.

Et comme tous se taisaient, il dut franchir la porte rapidement et en retenir le vantail car elle ne claqua pas. Lorsque ses pas se furent perdus :

– Aubrun avait raison, dit mon père en trouvant le calme épais de la maison, Ducatel n'était pas le genre d'homme qu'il nous fallait pour faire une révolution…

– Aubrun ? interrogea Louise. Qui est-ce ?

– Un garçon bien brave, ma foi, répondit ma mère, caporal au 33e, je crois, n'est-ce pas, Charles ?

– Oui. Aubrun est venu me trouver il y a peu ; il avait été surpris par l'attitude de Ducatel le jour où Pascal l'accompagna au Ranelagh chercher les canons. D'ailleurs il me semble bien que Pascal lui-même ne lui témoignait guère de sympathie…

Je ne perçus pas la suite, chuchotée soudain, comme si mon père eût craint que je n'entendisse ses paroles. Et dans la nuit de cette chambre blanche où dormaient mon frère et mon nouvel ami je revis, coloré et moustachu, le visage éclatant de franchise et de gaieté du caporal Aubrun, du 33e, bien sûr, je me souvenais.

## 6

## "CLAIRONS ! SONNEZ DANS LE VENT !"

Il arriva pour la première fois chez nous un samedi, à l'heure où le fourneau, près de l'évier de grès, s'allume de soleil au fond de la salle ; sa belle stature barra la porte, projeta son ombre. La demie de midi sonnait à Saint-Pierre de Montmartre, Émile disposait les couverts autour de la table ronde. Son apparition ne causa pas grand trouble, habitués que nous étions de voir entrer sans plus de façon la plupart des compagnons de travail et de lutte de mon père, qu'un simple bonjour annonçait. Il descendit la pierre de seuil avec beaucoup de naturel, s'arrêta net dans l'encadrement mais, contrairement aux usages, frappa au battant ouvert. Louise, surprise, haussa les sourcils et reposa la poêle qu'elle frottait. Un vol de moineaux piailleurs passa derrière l'appentis.

– Monsieur Clarisse, s'il vous plaît ?

– C'est ici...

– Oui, c'est là, enchaîna Stéphane d'une voix espiègle sortie de dessous la table.

L'étranger sourit, s'avança jusqu'à nous.

– Pourrais-je lui parler ?

– Certainement, monsieur, je vais le chercher.

Visiblement, Louise semblait étonnée de tant de cérémonies. Nos parents, ce matin-là, profitant d'une première claire matinée, plantaient, semaient ou repiquaient les plantes et les fleurs du potager sous les fenêtres de nos chambres. Il faut dire, bien sûr, j'oubliais, la secrète passion qu'ils partageaient pour ce petit univers floral, cet étroit paradis de terreau d'où, chaque printemps, jaillissait jour après jour une multitude bigarrée de corolles ouvertes. Ma mère, avec chaque fois quelque regret de devoir mutiler son éclatant royaume, en faisait de somptueux bouquets. Les fleurs, aux beaux jours, envahissaient la maison et les vieilles solives s'étonnaient des débauches de taches rouges, jaunes, blanches et bleues que ma mère, d'une main distraite, un rien rêveuse aussi, éparpillait sur nos meubles. Il est loin, aujourd'hui, le temps des œillets pourpres...

À mon invite, l'homme s'était assis. Tout son visage, empreint d'une rare noblesse, soutenu d'une barbe épaisse et soignée, respirait l'énergie. Un front large, haut et lisse, qu'épointait à droite une raie très stricte, tranchait sur la chevelure sombre, qu'il portait longue. Son regard, cursif et intérieur, s'abritait de sourcils nets, bien dessinés. Une moustache plus pâle que la barbe soulignait de belles lèvres, mobiles et sèches, faites pour parler.

Il m'examina de la tête aux pieds, jeta sur Émile un coup d'œil circonspect, se tourna de nouveau vers moi, souriant :

– Pascal Clarisse, je suppose…

– Oui…

– Ton père m'a parlé de toi ; tu as du courage, paraît-il, et du cœur aussi : c'est beau, à ton âge.

J'avais rougi jusqu'à la racine des cheveux.

– Nous aurons besoin de jeunes comme toi.

Un cliquetis de sabots ferrés le fit se retourner :

– Ah ! madame Clarisse, que je suis heureux de vous voir ! dit-il, se levant aussitôt.

Précédant mon père de quelques pas, ma mère entrait dans la pièce tout ensoleillée. Il s'inclina devant elle, nuançant son salut d'un rien de cérémonie qui la fit sourire.

– Tiens ! Vallès ! Comment allez-vous ? s'exclamait mon père en tendant au visiteur une main terreuse.

Sans manières, l'homme lui donna la sienne puis, examinant sa paume un peu salie, partit d'un bon rire franc :

– Alors, père Clarisse, on soigne la vigne ?

– Pas exactement, non, répondit mon père. Élise et moi nous aimons les fleurs ; nous nous préparons un printemps de pétales rouges pour fêter nos victoires… Mais vous avez bien quelques instants, venez donc jusqu'au jardin.

– Le printemps est né lundi, remarqua Vallès, pensif, pourquoi pas, allons voir un peu ce qu'il raconte.

Émile n'avait pas dit un mot. Quand Vallès, le père Clarisse, ma mère et Louise eurent tourné

le coin de l'appentis, je l'entendis murmurer,
l'air absent, comme pour lui seul :

– Il est bien, cet homme-là…

Bien que n'ayant moi-même jamais rencon-
tré Vallès auparavant j'en savais assez sur lui
pour renseigner Émile. Il parut déçu d'apprendre qu'il s'agissait du rédacteur en chef du *Cri
du peuple*, journal pour lequel mon père travaillait :

– En somme, c'est le patron, dit-il en
appuyant sur ce titre d'une intonation fau-
bourienne un peu méprisante.

– Ce n'est tout de même pas ce que tu crois,
Émile. Faut être juste. Pour mon père, pour
tous les ouvriers du *Cri*, Vallès est un ami, un
grand bonhomme qui défend notre cause à
tous, y compris la tienne, mon vieux.

Émile haussa les épaules, sceptique et désa-
busé ; parfois buté, il avait de ces accès de
dédain inexpliqués qui me paraissaient pourtant, je ne sais pourquoi, justifiés. Mais à ces
moments-là, il m'irritait et je restais sans
arguments devant ses fâcheries. J'aimais cette
réserve lucide dont il faisait preuve à l'égard
des idées toutes faites car elle témoignait d'une
maturité d'esprit insoupçonnée chez un garçon de quinze ans, trop vite poussé peut-être,
dont j'enviais en silence la très secrète intelli-
gence…

Lorsque tous revinrent du jardin, Louise traversa la salle d'un coup de vent, ouvrit le
bahut d'une main preste puis, resserrant nos
couverts en place en intercala un septième
avant même que Vallès n'ait le temps de

protester avec assez de vigueur.

– Bien entendu, vous déjeunez avec nous, monsieur Vallès, dit ma mère, ignorant les gestes de protestation polie de l'invité.

Et quelques instants plus tard, dans l'atmosphère détendue d'un printemps clair de soleil et d'air tendre, la tablée tout entière – sauf Émile résolument embusqué derrière une bouderie de circonstance – retentissait d'une gaieté de bon aloi, merveilleusement insouciante des heures graves que Paris venait de vivre.

Depuis de nombreux mois, les enfants n'allaient plus en classe. La guerre, l'épuisante famine, les salles impossibles à chauffer et le manque de maîtres consécutif aux lourdes pertes subies par l'armée tout au long de nos défaites passées avaient gravement contribué à désorganiser l'enseignement public.

Dans le 18e arrondissement, l'école de la rue Lamarck rouvrit très tôt ses portes, après l'insurrection. Un remaniement étonnant, diversement compris sans doute mais bien accueilli par la population, avait permis de confier à des hommes jeunes et décidés la tâche délicate d'assurer, à tous les enfants de Montmartre, l'essentiel de la connaissance scolaire. Quelques semaines plus tard, l'instruction était décrétée gratuite, obligatoire et laïque. Bien sûr je juge mieux, aujourd'hui, les années ont passé, mais à l'époque mon imagination assimilait mal cet ensemble hétéroclite de données confuses que j'expliquais par quelque chose de neuf venu avec la paix, l'éloignement de mes peurs, de la famine, des obus et du froid. Stéphane entra dans la classe enfantine de l'école de la rue Lamarck le lundi qui suivit la visite de Vallès. Émile et moi l'accompagnâmes jusque sous le porche, à l'entrée de la salle claire qui sentait la cire et les vêtements pauvres. Sa petite casquette crânement perchée sur la tête, mon frère se conduisit dignement. Écolier consciencieux malgré l'impulsivité de son jeune âge, il avait pour l'étude ce doux penchant appliqué des rêveurs. Il m'embrassa distraitement, comme préoccupé, tendit son front à Émile en souriant à demi et nous quitta vivement, comme pour abréger ces adieux gauches ; la tache claire de son panier se fondit dans la petite foule bruissante des écoliers. Mon père nous avait tenus au courant de la dure partie qui s'était jouée la veille dans la capitale. Pendant la semaine qui venait de s'écouler, depuis le 18 mars, toutes les organisations qui avaient eu une part active dans le soulèvement parisien – le Comité central de la Garde nationale, l'Internationale, le Comité de vigilance des vingt arrondissements – firent occuper les mairies. Leur volonté était claire : il fallait procéder à des élections immédiates, donner à Paris un sang neuf, républicain, en réélisant des députés et des maires choisis par le peuple. Le dimanche 26 mars, le scrutin s'était effectué dans le calme et nous attendions donc impatiemment les résultats du vote.

Émile me proposa de flâner un peu ; nous

remontâmes jusqu'au Tertre par la rue de Saint-Denis puis, désœuvrés, entrâmes dans le Champ Polonais. Au pied de la tour Solférino, accoudés tous deux à l'affût d'un canon, nous regardions Paris. Sur la ville que l'on découvrait très loin, des clochers de Belleville aux collines de Passy, une brume haute flottait, laineuse et immobile. Calmée et radieuse, la capitale se pelotonnait sous ce cocon moelleux.

– Trente-sept, dit soudain Émile, le regard au loin.

– Trente-sept quoi ?

– Les drapeaux rouges, j'en trouve trente-sept, sans parler de ceux des fenêtres, trop petits. J'ai compté les plus beaux, ceux des monuments et des mairies.

En effet, les toits et les façades s'ornaient depuis le 18 mars de larges panaches rouges piquant Paris de hampes victorieuses. Sur les Buttes-Chaumont, au sommet des carrières de gypse, les fédérés avaient planté l'emblème de leur révolution. Celui de la Garde nationale des Batignolles, sur notre droite, ondoyait sur les entrepôts ; le drapeau du 12ᵉ barrait de rouge le toit noir de la gare de Lyon et, juste au-dessus de nous, fiché sur le parapet de la tour Solférino, celui de Montmartre frissonnait dans l'air tranquille.

– Rentrons à la maison, Émile, on a sûrement besoin de nous.

Il me suivit sans un mot, plongé dans ses rêves interminables…

En entrant dans la salle commune, je vis tout de suite l'enveloppe carrée au milieu de la table. J'avais précédé Émile de quelques pas et deviné, probablement à cause de ce format inhabituel, que la lettre lui était destinée. Je sentis sans le voir que son regard aussi s'arrêtait sur elle. Il s'approcha de la table comme fasciné, tendit la main, saisit l'enveloppe par un coin. Après en avoir lu l'adresse, il ramena la lettre contre lui en se tournant vers moi : il avait relevé la tête et me regardait fixement. Alors je vis dans ses yeux passer comme une supplication, une prière muette et douloureuse que je ne compris pas, puis il entra dans notre chambre et s'y enferma. Cela s'était passé très vite, j'étais stupéfait. La cause de l'étonnant comportement d'Émile m'échappait complètement. À n'en pas douter, l'arrivée de cette lettre avait provoqué un choc inattendu, une émotion subite et incontrôlable. Depuis dix jours qu'Émile vivait avec nous, il n'avait rien reçu de province, où travaillait son père. Je me souvenais qu'il nous avait parlé des envois hebdomadaires de celui-ci mais il n'avait manifesté aucun souci particulier devant cette absence de courrier, que j'avais mise sur le compte des troubles récents et de la précarité des relations postales.

En entrant dans la salle nous n'avions eu, ni l'un ni l'autre, la possibilité de lire l'adresse figurant sur l'enveloppe et pourtant Émile s'en était emparé sans hésitation avec la sûreté de geste qu'aurait eue ma mère en saisissant son trousseau de clés. Le format carré, à lui tout seul, identifiait l'envoi : que contenait-il donc ? Le père Clarisse, ma mère, étaient absents ;

Louise, au jardin, étendait une lessive. J'en étais là de mes réflexions, seul près de la fenêtre, lorsque la porte de notre chambre s'ouvrit ; Émile parut, les mains vides. Il traversa la salle sans me regarder, passa la porte comme un voleur et je l'entendis se diriger vers le jardin...

Au dîner mon père nous annonça que le dépouillement du scrutin dépassait ses espérances mais qu'il fallait entendre au lendemain les résultats définitifs. Nous allâmes nous coucher, heureux de cette nouvelle. Émile n'avait pas dit un mot de la lettre...

Le lendemain matin, mon père et ma mère quittèrent la maison de bonne heure. À Montmartre, le peuple avait dit oui à la révolution ; on avait voté en masse, avec une sorte de sérénité naïve et confiante, pour des hommes venus de tous les horizons sociaux. Il y avait Blanqui, vieux révolutionnaire, arrêté la veille de l'insurrection ; Theisz et Deleure, ouvriers membres de l'Internationale ; Ferré, clerc d'avoué, et des journalistes, hommes de lettres et poètes comme Grousset, Vermorel et Clément. Le père Clarisse et ma mère avaient tenu à connaître les premiers résultats électoraux complets de la capitale, et c'est la raison pour laquelle ils nous avaient laissés en compagnie de Louise, pour courir à l'Hôtel de Ville où les noms des élus devaient être proclamés.

Nous nous mettions à table, pour déjeuner, quand on entendit une salve de coups de canons. Elle venait de loin mais avait tinté clair dans le ciel bleu ; il faisait un temps splendide. Louise avait dressé la table dans le jardinet qui sépare la maison de la rue, sur deux tréteaux branlants dont nous taquinions l'instabilité. Stéphane, inquiet, s'était serré contre elle :

– Qu'est-ce que c'est, Louise ? Dis, qu'est-ce que c'est ?

Une seconde salve couvrit la réponse de ma sœur, mais elle riait de bon cœur, ce qui suffit à rassurer Stéphane.

On sentait monter de Paris une joie de grande kermesse. Un vent doux grimpait la Butte, chargé de chants qui faisaient frémir les ailes des moulins. Les salves n'étaient que l'écho démesuré de la liesse qui soulevait la ville ; l'après-midi passa dans cette atmosphère de fête populaire.

Vers trois heures, Louise nous proposa une promenade mais Émile, évasif, déclara qu'il préférait rester à la maison. Louise n'insista pas, prit dans l'appentis quelques outils de jardinage et s'en fut avec Stéphane ratisser les allées du potager. Émile prit un livre, s'assit en face de moi devant la grande table de la salle commune et parut s'absorber dans la lecture. Mais il n'était pas à son aise ; la scène de la veille restait entre nous. Je ne savais vraiment pas comment l'encourager à parler, à me confier les inquiétudes ou les tourments que la lettre carrée avait apportés. En prolongeant son silence, il augmentait ma perplexité et diminuait ses chances de me fournir une explication raisonnable. Il en fut conscient, trouva un biais :

– Pascal…

– Oui.

– Je ne t'ai pas montré ce que faisait mon père ?

– Non. Tu m'as dit qu'il travaillait dans une papeterie, c'est tout.

– Attends, je vais te faire voir. Ne bouge pas, je reviens.

Il alla dans la chambre où je l'entendis fouiller fébrilement ses affaires et revint avec une sorte de carton à la main.

– Mon père est heureux là-bas, tu sais. Il fait de belles choses, des choses terriblement belles. Tiens, regarde !

Il me tendit une double carte de papier épais aux bords irréguliers dont la surface, finement gaufrée, portait en filigrane, sous une mince couche de pâte translucide, une gracile tige de prêle prisonnière du papier ; sous ce motif délicat un cheval bistre, imprimé au balancier, caracolait.

Je restai là, interdit, à tourner, ouvrir et replier cette gravure taillée dans la pleine chair du papier. Émile me regardait, guettait mon approbation.

– C'est lui qui les réalise, me dit-il ; dans sa lettre, il me conseille d'apprendre ce métier.

La carte était belle, le choix de la matière et du dessin heureux et sensible. Mais qu'est-ce que tout cela avait à voir avec l'indicible émotion dont Émile avait été saisi en voyant la lettre de son père ? Je ne savais donc rien de plus et mon ami gardait son secret. Néanmoins, son enthousiasme faisait plaisir à voir et je ne voulus pas risquer de gâter sa joie par des questions embarrassantes. Je louai très sincèrement la beauté de la carte et proposai à Émile de demander l'aide de mon père en vue de le faire entrer en apprentissage ; le père Clarisse était connu dans les milieux où se travaille le papier et j'étais certain qu'il serait heureux de promouvoir une vocation, si toutefois elle était réelle.

Mais l'ardeur d'Émile, à cette pensée, retomba vite. Plus que tout autre, il sentait l'avenir ; il devinait, calculait, prévoyait. Il soupira, préoccupé :

– Je sais que ce n'est plus possible. À quinze ans on ne me prendra nulle part en apprentissage. La guerre, tout ça... fit-il d'une voix neutre, accompagnant ses paroles d'un mouvement vague.

Il reprit, presque coléreux :

– ... Et M. Thiers, et les Prussiens, m'empêcheront toujours d'arriver au bout ! Balayer les ateliers, tiens ! Voilà ce qui m'attend !...

– Ah ! non alors !

Nous nous retournâmes d'un même mouvement de surprise. C'était mon père qui avait jeté ce cri ; il se dessinait, joyeux, massif, unique et radieux dans l'encadrement de la porte, un journal au bout du bras levé.

– Non ! Non ! Écoutez les enfants, écoute Émile, mon petit révolté, écoute-moi ! La Commune est née du vote des Parisiens !... C'est un triomphe !

Il riait, riait ; ses yeux, tellement émus, étaient d'eau claire.

– La Commune, les enfants, la liberté pour tous, l'instruction pour tous...

Mon père exultait, s'animait, s'illuminait :

– C'est la Commune à Paris, le gouvernement des ouvriers, la revanche du petit sur le nanti, la fin des querelles, l'âge de l'amour... La Commune, mes enfants, la Commune...

Il avait contourné la table tout en parlant et nous le suivions des yeux dans un ensemble parfait.

– Non, mon petit Émile, tu ne balaieras pas les ateliers ! C'est aujourd'hui que tout s'est dit ! Paris vient d'élire sa Commune, la Commune de Paris !

Le spectacle de mon père, remué au tréfonds de lui-même par l'irrésistible joie qui roulait dans sa tête, m'électrisait. Émile, bouche bée, cloué, suivait sans y croire les allées et venues du père Clarisse. Tout à coup mon père s'arrêta.

– Louise, où est Louise ?

– Au jardin, papa, au jardin.

Il fit un bond jusqu'à la porte, se pencha dans le soleil dont la lumière rougissait les vieilles pierres de notre façade, et d'un grand coup de poitrine, appela :

– Oh !... ma fille ! Louison !

On entendit sonner des sabots sur la terre damée de l'allée, derrière l'appentis, puis le crissement pressé des pas de Louise sur les gravillons de la cour. Lorsqu'elle apparut, mon père la prit par le bras, lui claqua sur les joues un rude baiser sonore, inattendu et, brandissant le journal qu'il avait gardé en main, sans explications s'attabla et le déploya :

– Écoutez tous, c'est Vallès qui parle !

*"Quelle journée !*
*Ce soleil clair qui dore la gueule des canons, cette*
*odeur de bouquets, le frisson des drapeaux, le*
*murmure de cette révolution qui passe, tranquille*
*et belle comme une rivière bleue ; ces tressaille-*
*ments, ces lueurs, ces fanfares de cuivre, ces reflets*
*de bronze, ces flambées d'espoir, ce parfum d'hon-*
*neur, il y a de quoi griser d'orgueil et de joie l'ar-*
*mée victorieuse des républicains.*
*Ô grand Paris !...*
*Lâches que nous étions, nous parlions déjà de te*
*quitter et de nous éloigner de tes faubourgs qu'on*
*croyait morts !*
*Pardon, patrie de l'honneur, cité du salut, bivouac*
*de la révolution !*
*Quoi qu'il arrive, devrions-nous être de nouveau*
*vaincus et mourir demain, notre génération est*
*consolée. Nous sommes payés de vingt ans de*
*défaites et d'angoisses.*
*Clairons ! Sonnez dans le vent ! Tambours ! Bat-*
*tez aux champs !*
*Et toi, marmot qui joue aux billes derrière la bar-*
*ricade, viens que je t'embrasse aussi !*
*Le 18 mars te l'a sauvée belle, gamin ! Tu pou-*
*vais, comme nous, grandir dans le brouillard,*
*patauger dans la boue, rouler dans le sang, crever*
*de honte, avoir l'indicible douleur des déshonorés !*
*C'est fini !*
*Nous avons saigné et pleuré pour toi. Tu recueille-*
*ras notre héritage.*
*Fils des désespérés, tu seras un homme libre !"*

Mon père s'arrêta, haletant et triomphant et,
laissant glisser les feuilles du *Cri du peuple* au

creux de ses genoux, il nous contempla, un extraordinaire sourire aux lèvres. Puis il se leva, rayonnant. Louise, la première, laissa éclater sa joie. Elle courut à lui, l'embrassa, le repoussa soudain au bout de ses bras tendus puis l'attira de nouveau à elle. Et c'était une joie de contempler ainsi mon père et ma sœur, fous de bonheur, répétant ensemble : "La Commune, la Commune de Paris...", en s'étreignant comme des enfants...

Derrière le jardin on entendit un chant que le vent happa, roula et plaqua contre la maison : *"La victoire, en chantant, nous ouvre la barrière..."* Émile, le nez à la fenêtre, l'air absent, mais pourtant imprégné de l'incroyable nouvelle, d'un doigt distrait traçait sur la vitre les profils d'invisibles chevaux.

## 7

## PREMIÈRES INQUIÉTUDES

Tout s'était éclairci : nos ciels et notre vie, nos
rêves et notre pain. Ce n'était pas, pas encore,
la vraie paix revenue, le calme plein, les dou-
ceurs vert tendre d'un printemps bien goûté.
La Commune était là, vivante ; des hommes
et des femmes, hardis, sérieux, un peu brouil-
lons, riches d'idées généreuses et conscients
de leurs forces, tenaient Paris.
J'avais vu mon père, toute joie retrouvée,
empli de son bonheur d'honnêteté et d'hu-
manisme, gonflé d'espoir, étourdi de projets,
et ma mère, secrète et douce, toute bruissante
de ses longues jupes, passer parmi nous, son
tendre sourire sur les lèvres, parcourir les rues
du Tertre de sa marche certaine, allant de l'une
à l'un, réconforter les cœurs.
J'avais vu.
J'avais vu Louise dont le visage ne ternissait
jamais, parler de ses rencontres, rire de nos

rires, animer de sa gaieté les plus chagrins de nos Montmartrois.

Je revois Émile, fier copain.

Je revois Stéphane, plus vif, plus clair, joues arrondies, mon petit frère en culottes longues, toujours aussi doucement grave.

Je les revois tous, ceux qui frappaient à notre porte, femmes en fichu, hommes en blouse, souvent sérieux, jamais tristes, loin de nos détestables souvenirs et qui venaient jeter dans notre maison claire le clair éclat de leur confiance toute neuve.

Commune, Commune, répétait mon père ; Commune était notre candeur et communes aussi ces vives espérances…

Le temps passa un peu. Quelques jours nous laissèrent respirer, entre deux fièvres. Les choses faisaient que nous sentions couler le temps avec lenteur, ponctué seulement de repas au soleil. Ma mère sortait sa nappe blanche, vaste comme un drap, brodée d'initiales énormes sur lesquelles butaient nos couverts. Il commençait de faire plus tiède, au matin comme au soir…

Un jour, c'était au début d'avril, alors que nous étions tous réunis dans la salle en attendant mon père, nous eûmes la surprise de le voir arriver en compagnie d'un garde national. J'étais, genoux à terre, cherchant les billes de Stéphane égarées entre le bahut et le fourneau à bois. Émile, industrieux comme toujours, tenant fermement sa galoche entre ses genoux serrés, tirait une aiguillée de fil poissé ; Louise lisait, largement déployée devant elle, une affiche qu'un typographe du *Cri* venait d'apporter, et ma mère chantait…

Les pas des deux hommes crissèrent sur le grès du dallage. Je me relevai d'un bond, vexé d'être surpris en pareille posture ; Émile leva le nez en même temps que Louise et l'affiche, abandonnée, se roula sur elle-même comme un ressort relâché ; ma mère, se retournant, coupa net sa chanson. Le fédéré, un gradé dont les épaulettes brillaient de franges dorées, s'esclaffa :

– Ma parole, je vous ai fait peur !

Il retira sa casquette à visière d'un ample geste un peu théâtral, qui fit vent.

Émile me poussa du coude, discrètement :

– Sûr, c'est au moins un général, me souffla-t-il sans relever son front roux et comme absorbé par la réparation de sa galoche.

Louise avait approché un siège au visiteur tandis que le père Clarisse faisait les présentations. L'homme serra respectueusement la main de ma mère, s'inclina devant Louise toute rose et, faisant le tour de la table, passa ses doigts sur la tête de Stéphane, très surpris de la caresse ; terminant son tour, il claqua en même temps ses paumes sur l'épaule d'Émile et sur la mienne.

– Alors, lequel est-ce ?

Ce faisant il pencha vers nous son visage viril de moustachu rieur, nous examinant l'un après l'autre avec curiosité. Tous souriaient ; il s'arrêta sur les cheveux roux.

– Sauf le respect, madame Clarisse, celui-là n'est pas à vous, lança-t-il en secouant Émile par la manche.

– Bien joué, reconnut mon père, amusé.

Louise suivait le manège, ne quittait pas l'homme des yeux ; Stéphane, souriant mais muet, ne perdait pas non plus une miette de la scène. C'est alors qu'Émile se retourna vers mon père, pâlit d'un grand coup et cria presque :

– Vous me renvoyez chez moi !

– Veux-tu te taire, Émile, coupa aussitôt ma mère. Non mais dis-moi, mon garçon, as-tu déjà vu que chez les Clarisse on se débarrassait des amis sans crier gare !?… Explique-lui, Charles, tu vois bien qu'il a eu peur…

Mon père, désappointé, contrarié même d'avoir été à l'origine du malentendu, s'approcha d'Émile, s'appuya à son tour sur l'épaule de notre ami et d'un coup de menton vers notre visiteur, l'engagea à parler.

– Voilà, dit l'homme à la moustache, le père Clarisse est venu me trouver il y a une dizaine de jours pour me parler de toi. À ce qu'il paraît, tu veux apprendre à travailler le papier. Il y a moyen.

Le visage d'Émile s'était défroncé mais restait fermé.

– J'ai un camarade, excellent homme, incomparable ouvrier. Il est relieur : un beau métier, un métier de belles mains, comme tu les as. Je lui ai dit ton goût ; il est d'accord pour te faire prendre en apprentissage chez un ami, si tu le désires toujours. C'est Varlin, son nom, Eugène Varlin. Eugène tout court pour les camarades. Si tu veux… Qu'en penses-tu ?

Le fédéré le secoua gentiment comme pour

faire tomber la réponse. Nous guettions Émile stupéfait, les yeux ronds. Louise, tout bas, avait murmuré : "Ah ! Émile ! Quelle chance !" et l'homme avait croisé son regard à cet instant. Elle avait baissé la tête en rougissant.

Émile nous regarda tous les uns après les autres, tous sauf celui qui de sa main pesait sur lui. Il se tourna vers ma mère :

– Madame Clarisse, est-ce qu'il faut que je quitte la maison pour me faire apprenti ?

– Mais non, dit mon père, mais non, voyons ! Ce que nous souhaitons c'est que tu restes ici parmi nous, au Tertre, en apprenant ton métier ; au retour de ton père, nous verrons. N'aie pas peur Émile, tu es des nôtres.

Mon père me regarda : je vis, je sentis le besoin qu'il m'exprimait d'encourager notre ami. Mais, prenant Émile par les épaules, je ne sus que murmurer :

– Émile, mon vieux Émile, vas-y…

Et j'ajoutai vivement :

– Tu feras des reliures, tu feras des choses très belles j'en suis sûr, comme ton père…

Alors il se tourna vers moi, eut une moue d'infinie tristesse :

– C'est ça, des choses très belles, comme mon père…

Stéphane, accroché aux jupes de ma mère, se laissait bercer par son lent déhanchement. Un rien de silence passa ; l'horloge sonna midi sans hâte, appliquée à bien dire son heure. Je comprenais parfaitement la gêne qu'Émile devait éprouver à nous sentir attentifs et impatients de sa réponse. Son émoi se partageait sans doute entre le désir de ne pas nous décevoir et la crainte de s'engager dans une voie inconnue, sans discernement. Il avait légèrement incliné le front et lorsqu'il le releva nous le vîmes sourire ; comme si sa réponse était là, nos lèvres aussi sourirent.

– Je ne m'attendais pas du tout à ça, dit-il, c'est inespéré. Je ne sais pas quoi vous dire… C'est oui, bien entendu, mais dites-moi… Ça me gêne de vous demander une chose pareille en ce moment… Pourtant, je voudrais savoir…

– Quoi donc, mon garçon, s'enquit notre visiteur, se penchant amicalement vers la tignasse rousse.

– Est-on payé, en apprentissage ?

– Ah ! que voilà une question bien venue ! s'exclama l'homme, en riant. Oui, on est payé en apprentissage, mais peu, trop peu, hélas. La Commune changera tout cela, je te le garantis ; Varlin m'a parlé de 1 franc 50 par jour. Ce n'est pas trop mal, pour un garçon de ton âge, tu sais…

Alors Émile traversa le cercle, prit ma mère par la main et l'entraîna hors du groupe, près de la porte. Il chuchotait très vite en comptant sur ses doigts, hochait la tête tandis que ma mère, réprimant à grand-peine une forte envie de rire, l'écoutait en silence, les lèvres bien serrées. Elle opinait, acquiesçait, mais ne put tenir bien longtemps : son joli rire clair éclata au nez d'un Émile interdit. Cet instant de gaieté passé, elle le prit affectueusement par le cou, l'embrassa, soudain très émue :

– Je viens de nous trouver un ministre des

finances très compétent.

Émile, flatté d'une telle confiance, rougit jusqu'au front.

– Voilà qui fait plaisir, dit le fédéré, dans cette époque troublée il est rassurant de trouver des garçons raisonnables. Je suppose qu'il prévoyait déjà l'utilisation de ses premiers deniers ?

– Pardi, sourit mon père, c'est plus que certain, n'est-ce pas Émile ?

Nous n'entendîmes pas la réponse, brutalement couverte par la bruyante arrivée d'un homme essoufflé, chevelu, habillé du même drap bleu que notre visiteur et qui passa la porte en coup de vent d'orage, en brinquebalant son fusil. Sans aucune considération pour notre paisible assemblée, il franchit d'un pas l'espace, dans le silence que son irruption avait provoqué, et cria presque :

– Les Versaillais ! Père Clarisse, les Versaillais ont pris Courbevoie !

Je revois parfaitement les yeux un peu fous de cet étrange messager qui jetait, au beau milieu d'un moment d'espoir, les premiers émois d'une nouvelle déroute. Mon père s'était redressé, monumental et froid (du moins le parut-il), et laissa retomber la main qu'il avait tendue vers l'homme. Dans ses yeux je vis passer une vague, née d'un seul battement de ses paupières. Le père Clarisse nous dévisagea tous d'un mouvement de tête circulaire qu'il arrêta sur ma mère.

– Élise, dit-il, cette fois c'est la guerre, la plus laide qui soit. Nous n'aurons même plus l'excuse de nous battre contre des étrangers…

si toutefois c'est une excuse, ajouta-t-il. La Commune a son mot à dire : elle va le crier !
S'adressant au gradé, resté muet devant la nouvelle, mon père reprit, désignant Émile :
– Dépêche-toi d'emmener celui-là à l'atelier, ses jours d'apprentissage lui sont peut-être comptés...
Mon père fit un pas vers la porte, l'ouvrit comme si la vision de l'extérieur eût pu apporter une réponse à ses préoccupations puis, se reprenant, il se tourna vers le pauvre fédéré que la course faisait encore haleter et lui dit en poussant un tabouret :
– Merci mon vieux. Tiens, repose-toi un peu, va ; on va avoir besoin de toutes nos forces.

Effectivement, les Versaillais montraient le bout de leurs fusils. Il y eut, dans ces premiers jours d'avril 1871, comme une montée vive et dure d'accrochages, de prises, de mouvements militaires inquiétants entre la Garde nationale – nos fédérés –, et les troupes versaillaises de Thiers, les lignards, comme nous les appelions.
La ville continua de s'émerveiller de ses rêves d'humanité mais dormit désormais d'un sommeil troublé de fusillades. Les Prussiens, qu'il ne faut pas oublier dans ce tableau compliqué, tenaient les forts de l'est et du nord de Paris ; à l'ouest, au sud, les armées versaillaises de Mac-Mahon fermaient la boucle sur la capitale : un second siège commençait.
À Montmartre on s'inquiéta beaucoup de

cette situation. Privilégiée de par sa position dominante, la Butte fut considérée comme place de choix pour y établir des batteries fortifiées. Nous en éprouvâmes plus de fierté que d'appréhension mais il semblait que les travaux tardassent à être mis en route et mon père s'en exaspérait. Les entrepreneurs trouvaient toujours quelque bon prétexte pour renvoyer à plus tard l'ouverture des chantiers, malgré les adjurations des élus du 18e arrondissement.

– Il y a du louche, murmurait-on sur le Tertre.

– Il n'y a pas trente-six solutions, disait le père Clarisse. Si les entrepreneurs ne sautent pas plus vite sur l'ouvrage c'est, bien sûr, qu'ils ne partagent pas nos vues. Qu'ils prennent leur temps pour nous faire rager, je le comprends encore, mais tout de même, les travaux rapportent et ces messieurs sont âpres au gain. Si ce n'est plus suffisant pour les décider, c'est qu'autre chose les retient et on ne m'ôtera pas de l'idée qu'il y a du Versailles là-dessous.

J'entends encore mon père prononcer cette phrase. Elle reste attachée à notre histoire par un événement peu banal dont le souvenir me fait mal…

Il y avait à peu près trois semaines que les Versaillais forçaient nos défenses dans la banlieue proche de Paris. Les forts tombaient les uns après les autres, les fédérés avec eux, au cours de sorties désastreuses, inorganisées et meurtrières que rien ne semblait pouvoir arrêter. À la maison, l'inquiétude s'était de nouveau installée. Mon père avait un front dur, parlait moins, paraissait las comme on l'est parfois, aux mauvais jours, d'un mal opiniâtre. Louise avait repris son travail à la fabrique de bougies, rue des Abbesses, d'où elle rentrait chaque soir, le tablier amidonné de stéarine et la fatigue aux jambes. J'étais heureux pour Émile : il apprenait la reliure chez un vieux boutiquier de la place Blanche. Faute de ventes suffisantes, le brave homme lui payait la moitié de son dû en livres rebutés dont nous faisions nos délices. C'est à cause de ces livres, justement, que mon père dit un soir, observant Émile qui rangeait les siens :

– J'ai ici deux ouvrages que Ducatel m'avait prêtés. Si je l'ai mis à la porte ce n'est pas une raison pour le voler : ce n'est pas dans les habitudes de la maison…

Il avait ajouté, un peu en l'air :

– Et puis j'ai peut-être été un peu dur avec lui. Il faisait le fiérot, comme ça, mais ce n'est sans doute pas un mauvais bougre, dans le fond. Son père vendait des rubans, place de la Bourse et Juin 1848 a mis son commerce par terre, à ce qu'il m'a dit. Je comprends qu'il ait un peu peur des révolutions…

Mon père m'avait tendu un paquet protégé de gros papier gris, poussiéreux, perché depuis longtemps sur une étagère de l'appentis.

– Tiens, Pascal, tu iras lui rendre sa littérature, avait-il dit en souriant, il demeure rue de la Source à Auteuil, tu trouveras facilement. Dis-lui le bonjour aussi. Sans insister…

Ma mère s'était récriée : cette partie du 16e arrondissement se trouvait à proximité des fortifications, séparée de la sinistre batterie de Montretout par le bois de Boulogne. Elle craignait pour moi, mais mon père l'avait tendrement prise par les épaules d'un grand mouvement enveloppant et l'avait rassurée d'un regard.

Au matin, le lendemain, je me mis en route, le paquet sous le bras. Il faisait grand soleil. Place Clichy, les marronniers ouvraient leurs bourgeons en élytres poisseux autour desquels bourdonnaient des insectes. Seul dans cette ville déjà animée, j'étais heureux. Stéphane était resté rue Saint-Rustique, bougonnant de n'avoir pu m'accompagner malgré d'attendrissantes suppliques. Je connaissais le nouveau Paris* comme un jeune Parisien, c'est-à-dire assez mal, mais avec suffisamment de flair pour ne pas m'égarer.

Il me fallut une heure et demie pour atteindre Auteuil où je m'étais promis de ne pas m'attarder, peu disposé aux amabilités envers un homme dont le comportement m'avait tant surpris, deux mois auparavant. Mon père, décidément mieux disposé à son égard, m'avait rappelé avant de partir de lui souhaiter le bonjour au nom de toute la famille. Il m'avait adressé un clin d'œil discret tout empli de complicité.

Onze heures tintaient au campanile de la petite chapelle de la rue de la Pompe lorsque je m'arrêtai pour souffler un peu. J'étais presque au terme

---

* En juin 1859, les onze communes de Batignolles-Monceau, Montmartre, La Chapelle, La Villette, Belleville, Charonne, Bercy, Vaugirard, Grenelle, Auteuil et Passy furent rattachées à Paris et devinrent les nouveaux arrondissements, du 13ᵉ au 20ᵉ.

de ma course. Au passage, j'avais pu constater qu'un réseau de barricades quadrillait encore solidement Paris : leur densité m'avait surpris. Il est vrai qu'à Montmartre nous nous sentions un peu retirés du monde, là-haut sur notre colline, dans cette commune depuis peu rattachée à la ville et qui ne vivait pas tout à fait à l'heure de la capitale. Auteuil et Passy offraient le même dépaysement. Quartiers tranquilles, villageois mais bourgeois, par contraste avec la Butte restée ouvrière, ils étaient un peu devenus la résidence campagnarde des nantis, mais les fermes n'y étaient cependant pas rares. La rue de la Source en comptait deux entre lesquelles s'élevait la maison à étage où demeurait Ducatel.

En arrivant, j'avisai un gamin d'une douzaine d'années assis sur le perron, tiquant des billes entre ses galoches. Remontant le paquet de livres d'un coup de hanche, je lui demandai :

– M. Ducatel ?

Sans quitter son jeu, ajustant le tir de son calot d'acier en fermant l'œil et plissant le nez il appela, la bouche en coin :

– Antoine ! T'es là ?

Une voix, au fond d'un couloir sombre, répondit derrière lui :

– Ouais ! Qu'est-ce qu'il y a ?

– C'est quelqu'un qui demande ton père.

– J'arrive !

Une sorte de galopin morveux jaillit de la porte, l'air hilare. Il aperçut tout de suite le paquet gris et sans préambule, me l'arrachant presque des mains, s'écria :

– Ah ! c'est vous qui apportez les plans ?

– Les plans ? Quels plans ?

Interloqué, je lui repris les livres :

– Tu te moques de moi, non ?

Le gosse parut déçu. Sa grosse joie avait disparu.

– C'est pas vous qui apportez les plans, alors ? insista-t-il.

Son histoire de plans, à laquelle je ne comprenais rien, commençait à m'agacer. Je lui expliquai qu'il s'agissait de livres que je devais remettre à M. Ducatel, mais j'omis d'en indiquer la provenance. Son visage s'éclaira.

– Ah ! ben alors c'est la même chose ! Hein Gaston, c'est bien ce qu'il a dit, mon père ?

Le joueur de billes daigna relever la tête.

– Je sais pas de quoi tu causes, dit-il avec un accent faubourien traînard, en rassemblant du bout du pied ses billes dispersées.

– Mais si, reprit le gosse, moi je te dis que c'est les plans. Mon père il a dit comme ça : si quelqu'un vient apporter les plans du général Douay, tu peux pas te tromper, c'est deux livres, un pour Paris-Nord, un pour Paris-Sud.

Il se tourna vers moi.

– Vous venez bien de Villeneuve-l'Étang ?

De plus en plus intrigué, je pris le parti de faire le niais pour tenter d'en apprendre davantage.

– Attends, Villeneuve-l'Étang, non, pas Villeneuve-l'Étang exactement, lui répondis-je, évasif.

Juste à ce moment-là, un train de coups de canons secoua l'air.

– Ça c'est Montretout, dit le morveux. Qu'est-ce qu'ils leur mettent !

La canonnade m'avait donné le temps de réfléchir un peu…

– Qu'est-ce qu'il y a, à Villeneuve-l'Étang ? lui demandai-je avec le plus de désinvolture possible, feignant de renouer soigneusement la ficelle de mon paquet.

Le gamin eut un sifflement decrescendo, un hochement de tête dubitatif ; il fit une moue d'incertitude :

– Ben, les Versaillais, je crois. Enfin, le général Douay, ça c'est sûr. Même que mon père y a été avant-hier pour le voir et qu'il attendait les plans aujourd'hui. Alors, c'est vous qui les apportez ?

– Mais non, répondis-je sur un ton que je voulus distrait, moi, je fais juste une commission. Pour les plans c'est quelqu'un d'autre qui viendra. Il est là, M. Ducatel ?

– Ah ! ben non, justement, fit Antoine en reniflant.

– Et… ta mère, est-elle là, au moins ?

– Ben… non plus.

– Alors il n'y a personne chez toi, si je comprends bien ?

J'entendis derrière moi des pas lourds de brodequins cloutés et me retournai.

– T'es bien curieux, on dirait, me lança un gros bonhomme à moustaches de sapeur, tu cherches quelqu'un ?

J'articulai un vague "bonjour m'sieur". Le dénommé Gaston s'était levé pour l'embrasser. C'était son père.

– J'avais ce paquet à remettre à M. Ducatel, mais il n'y a personne, alors je m'en vais, dis-je précipitamment.

– Ça dépend, fit le gros moustachu, le regard en dessous. Qu'est-ce que tu lui veux, à Jules ? D'où que tu viens, d'abord ?

– De Montmartre. C'est mon père qui m'envoie, m'sieur. Il avait deux livres à M. Ducatel, deux livres que je devais lui remettre en mains propres, affirmai-je.

Mon père n'avait fait aucune allusion à une telle mesure de prudence mais la situation me paraissait trouble et je préférais rapporter le paquet à la maison plutôt que de le laisser aux mains d'un inconnu. L'homme sembla hésiter, puis, méfiant :

– Comment que tu t'appelles ? m'interrogea-t-il brusquement d'un coup de menton.

– Clarisse, m'sieur, Pascal Clarisse.

Je ne sus pas l'effet que notre nom produisit sur lui mais son visage ne bougea pas. Il se tourna vers les deux garçons, fort attentifs à notre conversation et, du même coup de menton qui précédait chacune de ses questions, leur fit une muette demande à laquelle, gravement, Gaston seul répondit en secouant négativement la tête.

– Bon, eh bien mon gars tu peux te sauver, me dit-il, comme pour abréger l'entretien. Garde tes bouquins si tu veux. Je dirai à Jules qu'il a eu de la visite. C'est tout ce que je dois lui dire ?

– Oui, oui, il n'y avait pas d'autre commission. Au revoir, m'sieur.

Il ne répondit pas à mon salut mais je n'avais pas fait dix pas que je l'entendis questionner tout bas les deux garçons, d'une voix plutôt menaçante :

– Vous n'avez rien dit pour les plans, au moins ?

Et les deux réponses vinrent aussitôt, en chœur parfait :

– Oh ! non, m'sieur Faure, oh ! non, p'pa ! mentirent-ils effrontément.

## 8

## LA COMMUNE, QU'EST-CE QUE C'EST ?

On comprendra aisément dans quel état d'agitation je me trouvais en arrivant au Tertre. J'étais passé au plus court, moitié marchant, moitié trottant, sans trouver le temps de reprendre haleine dans les petites rues montantes et boisées de la Butte, sans lâcher mon paquet chiffonné – qui commençait à me peser lourd, tant sur le bras que sur le cœur –, et la faim au ventre.

Mes galoches firent clic-clac sur les pavés, dans le silence de la rue Saint-Rustique, et cloc-cloc sur les dalles de la salle, fraîche comme une tonnelle et barrée de soleil. Mais il n'y avait personne. Mon couvert était mis ; sur le bord du fourneau noir, quelque chose soufflait par le couvercle entrebâillé d'une marmite. Je m'assis, posai les livres près de moi et restai là sans bouger tant la quiétude de la pièce m'était douce. Puis j'entendis marcher dans l'allée du jardin qui borde la maison ; par la fenêtre de notre chambre dont la porte était restée ouverte, je vis passer Émile. Le temps de tourner les deux angles il parut, s'arrêta sur le seuil, surpris de me trouver là planté sur une chaise.

– Tiens ! Pascal ! Qu'est-ce que tu fais tout seul ? Tu ne déjeunes pas ? Louise t'a laissé ta part au chaud.

Il s'affaira tout de suite autour de moi, serviable, habile et précis. En fourgonnant dans le fait-tout il m'observait d'un œil. Au bout d'un moment, comme je n'avais ouvert la bouche que sur un rapide bonjour, il s'immobilisa, la louche en l'air.

– Mais tu en fais une lune, qu'est-ce qui t'arrive ? Tu es malade ? Tu t'es pris de bec avec Ducatel ?

Je fis non de la tête. Conscient de la gravité des informations que je rapportais d'Auteuil, je ne voulais surtout pas en profiter pour me donner de l'importance. Mon père m'avait appris la modestie et, de fait, chez les Clarisse on n'aimait guère les colporteurs de sensationnel ; je considérais comme un peu méprisante l'attitude de ceux qui s'entourent de mystère lorsque le hasard ou une indiscrétion les font gardiens d'une nouvelle importante. Le vérité n'est, après tout, qu'une forme de partage.

– Écoute Émile – excuse-moi, tu as raison –, je reste là à te regarder faire sans réagir mais je t'assure que ce que j'ai entendu chez Ducatel m'a coupé le sifflet. Ou bien je me trompe grossièrement et interprète tout de travers, ou bien cet homme est un traître à la Commune, payé par Versailles pour fournir des renseignements sur nous...

– Sur nous ? Mais qu'est-ce qu'on a donc fait ? On n'a rien à se reprocher !

– Non, m'expliquai-je, je veux dire, sur la Commune en général, sur Paris, sur notre système de défense, sur les barricades, sur... je ne sais pas, moi..., sur tout.

Émile s'était assis près de moi et me regardait ; mon ton avait dû être légèrement exalté car je le vis plisser les yeux comme pour mieux comprendre, mieux se pénétrer de ce que je disais, en rentrant en lui-même.

Il posa sur mon bras une main tranquille et amicale.

– Raconte-moi, Pascal. Dis-moi, depuis le début, comment s'est passée cette rencontre avec Ducatel. Que t'a-t-il dit, au juste ?

– Mais il ne m'a rien dit ! Je ne l'ai pas vu !

– Je ne comprends plus rien du tout, fit Émile, décontenancé. Explique-toi.

Alors, d'une traite, ponctuant mon récit d'énormes cuillerées de ragoût qui tiédissait dans mon assiette, je racontai l'aventure d'Auteuil, le quiproquo au sujet des plans, l'attitude ambiguë de Gaston prétendant ne rien connaître de ce que me confiait naïvement Antoine, l'arrivée du gros bonhomme, son soulagement apparent devant la banalité de ma visite, et surtout sa question immédiate et inquiète aux deux gamins après mon départ.

– Tu comprends, bafouillai-je, la bouche pleine, j'ai eu tout de suite l'impression d'être attendu, la certitude que Ducatel, sans méfiance, avait parlé devant son fils d'un messager devant apporter des plans de Paris. Pour quoi faire, je n'en sais rien mais ce qui est sûr c'est qu'il s'est rendu auprès du général Douay, et celui-là, mon père nous en a parlé, souviens-toi. C'est un Versaillais, un de ceux qui cherchent à pénétrer de force dans Paris avec les lignards. Imagine-toi par exemple que Ducatel ait été chargé de reporter, sur une carte complète de la ville, l'emplacement des batteries, des barricades, des troupes fédérées, enfin tout ce qu'il faut savoir pour frapper sans hésitation, une fois dans la place ! Tu te rends compte de la valeur d'un tel document ?

Émile avait écouté sans m'interrompre ; j'essuyai mon assiette d'une grosse mie de pain et attendis la réaction.

– Il ne faut rien exagérer, dit-il. C'est vrai pourtant, ce que tu dis à propos des plans, mais ça ne leur sert à rien. Les soldats versaillais ne sont pas près d'entrer dans Paris, de toute façon. Les fortifications sont bien gardées et les fédérés ne quittent pas les remparts, à ce qu'on dit.

Puis il réfléchit un instant.

– Il vaudrait mieux tout de même en parler à ton père ce soir, il me semble.

J'approuvai cette sage résolution. Nous rangeâmes les livres sur le vaisselier et sortîmes. Dehors, dans les lointains indistincts de la banlieue sud, le ciel bleu se constellait d'inquiétants éclatements.

Émile, ce jour-là, n'était pas retourné à l'atelier

de la place Blanche. Toute la matinée il avait couru Paris, livrant ses premières reliures – non sans quelque juste fierté – et le vieil ami de Varlin lui avait fait grâce d'un après-midi de colle, de cuirs et de cartons. Sans but, nous descendîmes la Butte sous les arbres de la rue Muller mais inévitablement la conversation revint sur Ducatel.

– Et si nous allions chercher ton père à l'imprimerie du *Cri* ? proposa Émile.

– Tu sais qu'il n'aime pas trop être dérangé là-bas, rétorquai-je aussitôt.

En fait, ma réponse était dictée par l'appréhension. Je craignais beaucoup que le père Clarisse ne fût déçu de voir se confirmer ses doutes et regretter, par-là même, la bienveillance dont il avait fait preuve à l'égard de Ducatel. Je n'aimais pas que mon père se trompe et moins encore l'idée de jouer le rôle de révélateur d'une généreuse erreur. J'étais réellement perplexe. Émile ne sembla pas tenir compte de mes réserves ; rue Caulaincourt nous tournâmes à droite d'un accord tacite, en direction du journal.

C'est tout à fait innocemment, après quelques instants de marche silencieuse, que je demandai :

– Tu as des nouvelles de ton père ?

Hormis la carte qui accompagnait la première lettre, Émile était resté discret sur sa correspondance avec son père. Il s'arrêta net sur le trottoir. Poussé par l'élan, je dus faire volte-face. Je revins à sa hauteur : il avait l'air dur et malheureux.

– Ça ne va pas ?

Il ne répondit pas tout de suite et reprit la marche.

– Il t'intéresse tant que ça, mon père ?

– Écoute, tu es drôle – je ne le connais pas –, c'est toi qui m'en as parlé, je ne t'ai jamais posé de questions. Tu as fait une drôle de tête le jour où tu as lu sa première lettre envoyée chez nous. Je n'ai rien dit, mais avoue que tu es bizarre.

Il se racla la gorge, gêné :

– On ne va tout de même pas se disputer pour ça, non ?

– Eh bien alors, parle, dis quelque chose, on dirait que tu fais des manières. Si je suis un copain pour toi autant que toi pour moi...

Émile m'interrompit sans sécheresse, avec une gravité solennelle qui m'en imposa :

– Justement. Si tu veux que nous restions copains, amis toujours, ne me reparle jamais plus de mon père, c'est tout ce que je souhaite...

– Bon, parlons d'autre chose, alors, articulai-je, gêné.

– C'est ça, parlons d'autre chose, ajouta Émile, partant soudain d'un rire tellement inattendu que je me demandai s'il avait toute sa raison. Mais quelque chose fit trembler son rire et je feignis de ne rien en voir.

Nous arrivâmes devant l'imprimerie. Comme il faisait très chaud, la porte de l'atelier était restée grande ouverte et, sous les verrières voilées de poussières où la grêle charpente métallique enlaçait des poutrelles noircies, l'air s'emplissait du vacarme d'une monstrueuse rotative. Des hommes aux mains aussi noires et grasses que la moleskine de leurs cottes, conversaient en criant autour de la machine. Nous entrâmes, les mains aux oreilles. Vers le fond du hall, là où pendaient les lampes à pétrole aux abat-jour verts, mon père, penché sur les casses inclinées, composait un texte qu'on eût cru écrit en cyrillique.

Il était assis sur un haut tabouret ; je touchai son bras. Il ne réagit pas, comme si mon geste avait été insuffisant, dans ce vacarme, pour attirer son attention et je dus tirer la manche de sa chemise.

– Père Clarisse, appela Émile.

Il se retourna, chercha la voix à hauteur d'homme. Nous étions hors du cercle clair de sa lampe et il ne nous vit pas tout de suite. Ses yeux avaient, sous cette lumière verte, une nuance d'eau qui me surprit. Son visage sourit en nous reconnaissant.

– Tiens ! Mais ce sont mes galopins, dit-il en descendant de son siège perchoir. Qu'est-ce qui vous amène ? Rien de grave, au moins ? reprit-il aussitôt, la voix teintée d'un rien d'inquiétude.

Il nous avait pris aux épaules et nous examinait l'un après l'autre.

– C'est à cause de Ducatel, dis-je.

– Ah oui ! c'est vrai ! C'est aujourd'hui que tu l'as vu ! Que raconte-t-il, ce "révolutionnaire" ? ironisa mon père.

Le contraste entre sa tranquille confiance et la pénible réalité était tel que j'eus du mal à recommencer pour lui le récit de ma visite à

117

Auteuil. Je le fis cependant, avec d'autant plus de difficulté que le bruit qui nous enveloppait n'était guère propice à ce genre de confidences. Pas une seule fois le père Clarisse ne m'interrompit. Lorsque j'eus terminé, il releva le buste et prit une large respiration :

– Bon… Où sont les livres ?

– Chez nous, sur le vaisselier, dit Émile.

– C'est parfait. J'irai moi-même les lui rendre : j'en aurai le cœur net.

– Mais vous ne croyez pas, père Clarisse, osa Émile, qu'il vaudrait mieux prévenir tout de suite la Garde nationale ?

Mon père se tourna vers lui et répondit, sur un ton où se mêlaient douceur et amertume :

– Mon petit Émile, il en va de la morale comme de la physionomie : chacun la sienne, même si nous nous ressemblons tous un peu. La pire des vilenies, à mes yeux, c'est la délation. Je ne pourrais jamais dénoncer un homme, quand bien même il serait coupable de trahison… Je réglerai seul cette affaire. Souvenez-vous de cela, l'un et l'autre. La Commune, c'est déjà autre chose que notre vieux temps bourgeois ; la Commune, c'est tout ce qui nous unit et rien de ce qui nous divisait… La Commune…

– Mais, père Clarisse, l'interrompit timidement Émile, vous nous parlez toujours de la Commune et nous ne savons pas grand-chose sur elle ! La Commune, dans le fond, qu'est-ce que c'est ?…

Alors mon père, amusé et ému, nous entraîna hors du grand hall…

J'aurais voulu pouvoir dire ce que fut réellement l'œuvre de la Commune. Pendant les soixante-douze jours que dura cette chanson de geste, poème né du peuple, brève *Iliade* de faubourgs, tant de choses furent faites et défaites, tant d'espérances naquirent puis moururent, qu'il m'est impossible, sous peine de lasser, de les exprimer toutes. Des historiens s'en chargeront. Mais puisque la vie des Clarisse, intimement liée à cette belle et courte révolution assassinée, est racontée ici, c'est dans sa chaleur que je vais tenter de retrouver quelques souvenirs de nos amis, de nos proches, de nos frères, de tous ceux qui luttèrent auprès de nos parents, tous ceux qui entraient chez nous dire trois mots en passant et, à travers leurs simples témoignages, peut-être ferai-je mieux comprendre ce que notre Commune prodigua...

"– Voyez-vous, père Clarisse – c'est Gresle, le mitron de la rue des Saules, qui parle –, depuis qu'ils ont voté leur décret, je suis un autre homme...
Et comme mon père s'étonne :
– Eh oui ! Il y a peu, je travaillais toute la nuit pour la fournée de l'aube. Maintenant je ne vais au pétrin qu'à cinq heures du matin et j'ai encore du temps pour le jardin, le soir, avant de dormir un bon coup. Il y a plus de dix ans que je ne soupais plus en famille, ça vous dit quelque chose ? Vous verriez les gosses..."

"– Père Clarisse, voilà mes trois francs pour la Caisse de secours, annonce Dyrek, un ouvrier polonais en ferblanterie, en posant sur la table une poignée de piécettes. C'est pas que je sois devenu riche tout d'un coup mais ce que la Commune m'a rendu, il est normal que je le mette au tronc commun : mon patron a été contraint de me rembourser l'amende qu'il avait retenue sur mon salaire, la semaine dernière – je n'avais pas eu le temps de terminer une pièce de forme. Avec une loi comme celle-là, va-t-on pouvoir enfin travailler en paix ?"

"– Oh ! madame Clarisse, comme je suis soulagée, dit Mme Henrion, notre voisine. Pour les loyers, vous savez que la Commune fait remise des trois derniers termes en retard ? Je crois bien que sans cela nous aurions été à la rue comme l'an dernier, quand mon Alfred est tombé malade et qu'il a eu tant de peine à retrouver de l'ouvrage. Allez, des bontés comme celles-là, ça ne s'oublie pas de sitôt… Et puis je vais pouvoir retirer l'horloge du mont-de-piété, depuis le temps qu'on refuse que je la dégage. Dites, madame Clarisse, si les Versaillais rentraient dans Paris, ils ne nous reprendraient pas tout ça, au moins ?
Et ma mère apaise ses craintes d'un sourire, d'un mot gai, d'un mouvement de main amical où l'on sent la chaleur…"

C'était cela, pour moi qui n'avais pas quinze ans, la Commune de Paris. Je me souviens aussi d'un instituteur de la rue Lamarck dont les idées n'avaient pas toujours eu l'heur de plaire et qui venait souvent confier à mes parents son bonheur de voir "l'enseignement" décrété désormais, par la Commune, "gratuit, laïque et obligatoire". Il était vieux, déjà, cet homme, et ses cheveux blanchissaient. Pourtant il parlait comme si toute sa carrière restait à faire, comme si, balayant enfin les injustices révoltantes du passé en matière d'enseignement, la Commune lui avait rendu toute son ardeur pour une tâche jusqu'ici décevante et inachevée. Et c'est encore lui qui nous apprit les projets d'ouverture d'écoles professionnelles pour jeunes filles.

Et puis à Montmartre on chantait, on riait, on s'aimait beaucoup sur la colline verte, entre les moulins. Ma mère aussi chantait. Vous ai-je dit que ma mère chantait ? Je ne sais plus. Dans ma mémoire il me reste surtout une chanson de ce temps-là, une mélodie tendre qu'elle fredonnait souvent et dont j'ai gardé les paroles. C'est Jean-Baptiste Clément, journaliste au *Cri* et poète montmartrois, mais aussi élu de la Commune dans le 18e, qui écrivit cette émouvante complainte...

*LE TEMPS DES CERISES*
*1866*

*Quand nous en serons au temps des cerises,*
*Et gais rossignols et merles moqueurs*

*Seront tous en fête.*
*Les belles auront la folie en tête*
*Et les amoureux du soleil au cœur.*
*Quand nous en serons au temps des cerises*
*Sifflera bien mieux le merle moqueur.*

*Mais il est bien court le temps des cerises,*
*Où l'on s'en va deux cueillir en rêvant*
*Des pendants d'oreille.*
*Cerises d'amour, aux robes pareilles,*
*Tombant sous la feuille en gouttes de sang.*
*Mais il est bien court le temps des cerises,*
*Pendants de corail qu'on cueille en rêvant.*

*Quand vous en serez au temps des cerises,*
*Si vous avez peur des chagrins d'amour*
*Évitez les belles.*
*Moi qui ne crains pas les peines cruelles,*
*Je ne vivrai pas sans souffrir un jour.*
*Quand vous en serez au temps des cerises,*
*Vous aurez aussi des chagrins d'amour...*

Que pourrais-je vous transmettre qui soit plus vibrant d'émotion, plus convaincant, plus profondément humain que cet extrait de la "Déclaration au Peuple Français", appel à la France entière placardé sur nos murs vers la fin d'avril par la Commune de Paris et qui tient, dans les lignes où transparaît l'utopie, tout le cœur généreux d'un peuple, heureux de l'être enfin...

**RÉPUBLIQUE FRANÇAISE**
Liberté—Égalité—Fraternité
* * *

## COMMUNE DE PARIS

* * *

# DÉCLARATION
## AU PEUPLE FRANÇAIS

★　　★　　★

Nous en appelons à la France.

Avertie que Paris en armes possède autant de calme que de bravoure ; qu'il soutient l'ordre avec autant d'énergie que d'enthousiasme ; qu'il se sacrifie avec autant de raison que d'héroïsme ; qu'il ne s'est armé que par dévouement pour la liberté et la gloire de tous, que la France fasse cesser ce sanglant conflit !

C'est à la France à désarmer Versailles, par la manifestation solennelle de son irrésistible volonté.

Appelée à bénéficier de nos conquêtes, qu'elle se déclare solidaire de nos efforts ; qu'elle soit notre alliée dans ce combat qui ne peut finir que par le triomphe de l'idée communale ou par la ruine de Paris !

Quant à nous, citoyens de Paris, nous avons la mission d'accomplir la Révolution moderne, la plus large et la plus féconde de toutes celles qui ont illuminé l'histoire.

Nous avons le devoir de lutter et de vaincre !

19 avril 1871.

**LA COMMUNE DE PARIS.**

# M. DUCATEL, CONCILIATEUR

Les débuts du mois de mai virent bien des changements dans notre mode de vie. La harcelante offensive de M. Thiers et de ses Versaillais contre Paris en fut la cause. Tout d'abord Louise, émue par le sort de tant de fédérés blessés qu'on ramenait chaque jour à pleins fourgons, exsangues, d'impitoyables combats en banlieue autour de nos avant-postes, se fit ambulancière, abandonnant sans regret la stéarine et les bougies. Elle revenait chaque soir rue Saint-Rustique mais nous ne l'attendions plus pour dîner tant étaient imprévisibles ses heures de retour. Elle portait, sur la discrète tenue grise qu'elle avait adoptée, serrée sur la poitrine par des cordonnets, la croix de Genève rouge dont la seule vue eût dû la protéger. Mais nous sûmes bientôt que Versailles tirait aussi sur celles qui soignaient les blessés et l'inquiétude ne nous quitta plus.

Ce qu'elle rapportait de ses épuisantes sorties était monstrueux : les soldats versaillais ne connaissaient nulle pitié.

Un jeudi, Louise revint en larmes : elle venait d'assister, impuissante et horrifiée, au massacre par les lignards de sept fédérés blessés pris en pleine nuit dans une embuscade, et au meurtre froidement accompli de sa compagne ambulancière, infirmière au bataillon, qui s'était jetée au secours de ces malheureux. Louise n'avait dû la vie qu'au sang-froid d'un autre blessé, à terre lui aussi, la cuisse traversée, dont l'immobilité l'avait fait passer pour mort. Il lui avait intimé l'ordre de s'étendre près de lui sans bouger ; les lignards éloignés, elle avait pu le traîner au poste le plus proche... Et ma mère serrait contre elle la tête pâle de ma sœur, qui répétait :

– Jeanne, Jeanne, pourquoi l'ont-ils tuée ? Jeanne...

Puis violente soudain, Louise s'était tournée vers elle en balbutiant entre ses larmes :

– Oh ! maman ! Si tu savais comme elle était jolie, comme elle était douce ! Elle les soignait comme des frères, les vieux, les jeunes, tous l'aimaient, tous ! Et ceux-là l'ont tuée ! Mais je la vengerai, tu m'entends, vous m'entendez ! Je la vengerai !

Elle s'était dressée. Tremblante, les mains convulsivement agitées, la croix rouge de sa poitrine secouée d'une sanglotante colère, il me sembla que je voyais ma sœur pour la première fois, mais aussi, pour la première fois avec elle, le désir de vengeance entrer dans la

126

maison. Je fus frappé de constater à quel point la souffrance défigure : l'espace d'une seconde nous eûmes devant nous une étrangère enlaidie, la bouche forcée d'un mauvais rire :

– Ah ! je les tuerai, moi aussi ! Je les tuerai !

Elle voulut sortir, mais à l'instant où elle atteignait la porte, mon père entra. Louise s'effondra sur sa poitrine. Et il ne resta plus, dans les bras d'un géant calme, qu'une petite fille anéantie qui mêlait ses cheveux blonds aux soies grises d'une barbe...

Louise n'oublia pas facilement cette scène. Dans la semaine qui suivit, l'avance des troupes versaillaises aux portes de Paris multiplia les combats. Plus que jamais sonnait le tocsin. Les fortifications et les quartiers de l'Ouest parisien se trouvaient sous l'incessant pilonnement de l'artillerie de Thiers, et Louise courait chaque jour aux bastions, s'étourdissait de fatigue et de dévouement, mais n'oubliait pas.

Or, inexplicablement, la Commune ne sembla pas s'émouvoir outre mesure de la pression grandissante de l'ennemi. Je ne crois pas avoir encore employé ce mot pour désigner Versailles ; il est pourtant nécessaire. Mon père n'en usa jamais : il ne pouvait omettre, et répétait toujours, que la Commune avait en face d'elle des Français comme nous. Cependant, lorsqu'il devint évident que l'assaut final se préparait pour nous submerger tous, mon père prit son fusil, refusa la tenue de garde national qu'on lui offrit, et partit aux remparts en cotte noire de typographe. En fait, il fut cantonné aux Batignolles, tout près de Montmartre ; malgré cette proximité immédiate il ne put rentrer chaque soir au Tertre. Puis les édiles du 18e le réclamèrent, obtinrent de la Garde nationale qu'il fût affecté à la défense de Montmartre : le père Clarisse étant délégué de l'arrondissement, le Comité central accepta et mon père revint parmi nous.

Mais ces atermoiements, ponctués d'ordres souvent contredits, illustrent bien l'insouciance que l'on retrouvait un peu partout dans l'organisation de la défense de Paris.

Presque dans le même temps, vers la mi-mai, ma mère s'inscrivit à l'atelier de travail des femmes, à la mairie de Montmartre. Elle y cousait de ces sacs de grosse toile qu'on emplissait de sable pour en créneler les fortifications, autour des batteries. L'entrain de ma mère, de toutes ces femmes, du reste, était admirable. À les voir travailler dans l'exaltation joyeuse qui les transportait, qui eût pu croire les balles des lignards si meurtrières ? Tout semblait s'inscrire dans la victorieuse destinée de la Commune.

La maison s'était donc dépeuplée, du moins en apparence. Stéphane, heureux du temps de printemps doux, était à la fois plus calme et plus gai. Il levait vers moi, qui ne le quittais presque jamais, ses yeux d'enfant naïf qui ne comprenait pas. En reparler me serre le cœur...

Affectueux mais secret, il m'avait pris pour confident et je sentis combien ce petit frère, tellement entouré de tendresse pourtant, restait seul avec ses peurs. Je ne pouvais rien pour lui lorsque tonnait le canon ; il s'accroupissait, élevait jusqu'à ses oreilles ses doigts fragiles et transparents d'enfant maigre et restait là, prostré, les coudes bien serrés contre lui, sa tête blonde rentrée dans les épaules tant que durait la canonnade, dans une posture ramassée et craintive qui lui donnait l'air d'un petit singe perdu parmi les hommes. De temps en temps, les mains toujours en conques encadrant son visage, il relevait le nez et me criait, comme en supplique :

– C'est fini ?

Mais ce n'était jamais vraiment fini…

Je sais bien aujourd'hui qu'un enfant qui a vu la guerre, entendu son vacarme, senti son souffle, ne peut plus l'oublier : Stéphane était de ceux-là…

Un matin – il faisait grand soleil –, nous étions partis tous deux nous promener, main dans la main, dégringolant la Butte. Près des maisons calmes, sous l'ombrage de verdure acide d'où sortaient d'agaçants tourbillons d'insectes, on voyait des groupes de femmes s'attarder à quelque parlote ménagère. Montmartre était paisible comme un village. Au carrefour de la rue des Abbesses, en passant sous les gros platanes aux troncs boursouflés, nous entendîmes un roulement de tambours et, plus loin, des sonneries de clairons. Stéphane me fit hâter le pas ; pour jouer, nous dévalâmes en courant le bas de la rue Lepic, vers le boulevard d'où provenait la musique militaire. Mais arrivés au terme de notre course, un peu haletants, un spectacle inattendu nous figea sur place. Depuis l'entrée de la courte avenue conduisant au cimetière de Montmartre, jusqu'aux larges portes qui y donnaient accès, deux files de fédérés, l'arme pointée vers le sol, formaient la haie. Un bataillon déboucha de la place Clichy suivi de la musique, tambours en tête, voilés de crêpe, puis les cuivres qui lançaient dans l'air immobile leurs vibrantes et tristes sonneries. Stéphane s'était serré contre moi. Un char monumental que tiraient des chevaux noirs tremblait derrière eux d'un amoncellement de cercueils qu'une draperie noire, bordée d'argent, laissait deviner. Aux quatre coins de la lourde charrette se dressaient en faisceaux les drapeaux rouges des bataillons de ceux que l'on menait en terre. Et près des couronnes entassées, ceints de leur écharpe écarlate qui tranchait sur le sombre de leurs tenues, les membres de la Commune ouvraient le long défilé d'une foule silencieuse.

– Pourquoi on les emmène chez les morts ? me demanda Stéphane dans un souffle, en serrant plus fort sa petite main dans la mienne.

Je le pris sur mon bras ; il pesait une plume.

– Ils sont morts pour nous défendre, répondis-je après un temps.

Il sembla réfléchir profondément, sans perdre une image du triste tableau puis, se retournant vers moi, prit ma tête entre ses mains et, les yeux dans les miens gravés d'une infinie tristesse il me dit, en secouant un front obstiné :

– Ben moi, je veux pas être soldat, je veux pas que ce soit la guerre, jamais.

Puis il noua soudain ses bras autour de mon cou dans un grand élan de tendresse, m'embrassa avec fougue comme s'il eût craint de me perdre. Je le reposai à terre, très ému.

À perte de vue, fermant la marche du douloureux cortège, des bataillons de fédérés martelaient d'un lent pas cadencé les pavés du boulevard. Sans un mot, nous remontâmes au Tertre.

Ainsi qu'il se l'était promis, mon père se rendit chez Ducatel. Il était parti avec les livres au bout du bras ; il revint sans, mais déçu et, je crois, irrité. J'avais dû lui répéter, mot par mot, tout ce que m'avaient appris Antoine, Gaston et le gros moustachu ; attentif et concentré, mon père s'était pénétré de mon récit comme pour s'assurer qu'il ne subsistait, dans son esprit, ni équivoque ni fausse interprétation.

– Tu es sûr que son fils a dit : "Mon père est allé voir le général Douay, avant-hier" ? Tu es sûr, Pascal ? C'est important, tu t'en doutes…

– Écoute, papa, je ne peux pas retrouver sa phrase exacte mais je suis absolument certain de cette précision. Je venais de lui demander qui se trouvait à Villeneuve-l'Étang. Il n'a pas eu l'air bien renseigné, mais il a été catégorique en ce qui concerne Douay. J'aurais voulu en savoir plus mais le père de Gaston est arrivé et j'ai craint de passer pour trop curieux.

– Tu as bien fait, mon garçon.

Le père Clarisse avait pris le paquet d'un geste décidé, cependant qu'un bourrelet soucieux plissait son front…

Stéphane mettait tout juste le couvert quand il revint. Il faisait encore jour et le canon tirait au loin, surtout Montretout dont les batteries, bien placées sur les hauteurs de Saint-Cloud derrière la Seine, battaient sans cesse nos fortifications, de la porte de Passy au Point-du-Jour.

C'était samedi, samedi 20 mai… Toute la famille Clarisse, Émile compris bien sûr, était réunie autour de la grande table. Mon père embrassa ma mère, posa sur le front de Louise un baiser distrait, affectueux. Il s'assit avec lassitude et nous fîmes tous trois le tour de la table pour l'embrasser. Stéphane se hissa sur ses genoux, les bras autour de son cou.

– Alors, dit ma mère, es-tu rassuré de ta visite ? Que t'a-t-il dit ?

Mon père hocha la tête avant de répondre comme s'il n'avait su comment entamer un embarrassant récit.

– Eh bien, mes enfants, j'avoue être perdu dans cette affaire. Ducatel n'a pas semblé étonné de ma visite : bien au contraire, il avait presque l'air de m'attendre. En tout cas c'est lui qui a précédé mes questions et c'est sans doute ce qui m'a le plus surpris. Il a joué les jovials : "Je parie que vous voulez savoir ce que j'ai été faire chez le général Douay." Ça a été sa première question. Pris de court, je lui ai dit l'étonnement de Pascal, ce n'était plus la peine de biaiser. "Je m'en doutais, m'a-t-il répondu, mais j'aime mieux m'expliquer franchement." Je lui ai dit : "C'est ça, explique-toi une bonne fois." Je me suis surpris à le tutoyer de nouveau sans m'en rendre compte. Alors il m'a raconté une histoire à dormir debout : "Vous connaissez les Compagnons de Paris, m'a-t-il dit, ce sont des ouvriers qui cherchent à réconcilier Thiers et la Commune. J'en suis. Si je suis allé trouver Douay, c'était en délégation, pour tenter encore une fois un arrangement." Mon père eut un rire agacé, plutôt un ricanement.

– Un arrangement ! Tiens, ils me font rire avec leurs arrangements ! "La conciliation, c'est la trahison", voilà ce que disait, il y a quinze jours, la Commission exécutive de la Commune, et elle avait raison ! Oh ! je sais, ce n'est pas dans ma nature de prêcher la discorde ! Mais aujourd'hui, concilier c'est tiédir les forts, amollir les indécis, se rallier les peureux ! Alors non !

Il s'était tu. La nuit venait. Louise avait posé la lampe au centre de la table ; le cercle parfait de la tache lumineuse débordait un peu sur le rond de nos assiettes, y découpait des quartiers de lune dans le blanc dur de la faïence.

Après un long silence, compté en coups de cuillers tintants et graves tic-tac de pendule, on entendit la voix d'Émile s'élever, déférente mais assurée :

– Dans le fond, père Clarisse, tout ça, c'est une fable…

Mon père leva les yeux sur lui, haussa les épaules lentement, les laissa retomber sur un soupir :

– Eh oui, mon petit Émile, c'est bien ce qui me semble – du moins j'aurais tort d'y croire benoîtement. Mais qu'y puis-je ?

Il déposa sa cuiller dans son assiette, releva soudain le buste comme si la fatigue l'avait quitté d'un coup et, posant ses deux mains bien à plat sur la table :

– Si vous voulez mon avis, j'ai perdu mon temps avec ce… ce… cet imbécile. Pendant que Versailles bombarde Paris, je cours chez Ducatel pour tenter de savoir si ce faux ouvrier – d'ailleurs, je ne me trompe pas, il est piqueur* dans le Génie –, si ce faux ouvrier n'est pas en train de fomenter, à lui tout seul, un complot contre la Commune. Avouez qu'il y a de quoi rire, non ? Ne parlons plus de ce bonhomme, je finirais par perdre patience…

Alors ma mère allongea le bras, posa sa main sur le sien. Il se tourna, rencontra son regard. Je n'aimais pas seulement ton sourire, mon père, j'aimais surtout quand tu souriais à ma mère…

---

* Surveillant de travaux, notamment des ouvrages de fortification.

## 10

## LE DIMANCHE 21 MAI 1871

– Pascal…

– Oui…

L'appel d'Émile, chuchoté, avait traversé le silence fragile de la chambre.

– Tu sais, je n'en reviens pas de l'histoire de ton père.

– Tu ne le crois pas ?

– Mais si ! Je crois ton père, bien sûr ! Seulement il me semble curieux que, sachant ce qu'il sait, il n'ait pas proposé tout de suite… je ne sais pas, moi… quelque chose. On dit qu'il y a des espions versaillais partout dans Paris ; alors raison de plus pour se méfier. En admettant que ce soit exact, ce projet de négociation, ça n'explique pas l'échange de plans, non ?

– Parle moins fort, Émile, tu vas réveiller Stéphane.

Il baissa le ton et sa voix devint un chuintement à peine perceptible. Nous parlions sans nous voir, les yeux grands ouverts dans le noir de la nuit.

— J'ai une proposition à te faire, finit par avouer Émile.

— Vas-y.

— Demain, c'est dimanche. Ta mère et Louise vont au concert public avec Stéphane et ton père a dit qu'il devait passer l'après-midi au Champ Polonais pour refaire le tour des batteries de Montmartre…

— Alors…

— Eh bien nous sommes libres, tous les deux. Si nous allions voir un peu du côté d'Auteuil ce que fait Ducatel, sans se montrer ? Nous aurions peut-être une chance d'en savoir davantage.

— C'est pas bête, mais c'est dangereux, répondis-je, prudent.

— Dangereux, tu crois ?

— Ça cogne dur, là-bas. La nuit comme le jour, les batteries de Montretout n'arrêtent pas. Il n'y a pas de dimanche pour le canon…

— On fera attention, te tracasse pas, insista Émile, très excité par son idée.

— Bon, on en reparlera demain matin. Bonne nuit…

— Bonne nuit, Pascal.

Nous eûmes, l'un et l'autre quelque peine à trouver le sommeil, préoccupés par notre projet. Puis j'entendis la respiration d'Émile se faire plus régulière, au diapason de celle de Stéphane, quelques grognements de canon comme un prélude d'orage roulèrent à l'ouest, et je m'endormis à mon tour.

Le lendemain, tôt levés, notre décision était prise : nous irions à Auteuil. Tout se passa comme nous l'avions prévu. Mon père, tourmenté par l'incroyable lenteur des travaux de défense de Montmartre, ne voulait pas s'attarder à table. Il faisait un temps superbe, la Butte prenait le frais à l'ombre de ses arbres. Nous déjeunâmes, midi sonnant, dans le jardinet qui nous séparait de la rue. Ses hautes herbes sentaient le foin et l'été. Le repas ne fut pas très gai. Louise portait au creux de ses joues la marque de ses peines et de ses fatigues. Ma mère, soucieuse, distraite, ne quittait pas Stéphane des yeux : on eût dit qu'elle ressentait je ne sais quel angoissant pressentiment…

Il n'était pas une heure lorsque Aubrun, en uniforme poussiéreux de garde national, apparut derrière le petit mur qui longeait la rue Saint-Rustique ; il repartit presque aussitôt accompagné de mon père – sa moustache ne riait pas.

Ma mère, Louise et Stéphane quittèrent à leur tour la maison, à pas lents de promeneurs tranquilles. Un quart d'heure plus tard, riant de notre escapade, Émile et moi dévalions la forte pente de la rue Lepic. Le canon hargneux sonnait, là-bas, plus loin, on ne savait où…

Il faut ici ouvrir une parenthèse : j'ai déjà dit combien nous vivions à l'écart de Paris, sur la Butte Montmartre, peut-être parce qu'éloignés du centre actif de la capitale, sans doute à cause du passé campagnard du 18e arrondissement. Les barrières n'étaient pas vraiment tombées, la jonction pas encore faite avec la ville. En dehors des nouvelles que le père Clarisse rapportait du *Cri* et dont le Tertre profitait, nous ne savions pas grand-chose de la situation réelle de la Commune sur le plan militaire. Quelques faits marquants, mais dérisoires, comme la destruction de la maison de Thiers*, la mise à bas de la colonne Vendôme, parce qu'ils avaient dans le peuple une valeur symbolique, étaient sujets de conversation mais ne renseignaient personne sur la position stratégique de nos fédérés. Et pourtant, militairement, cette position n'était pas fameuse. Toute la ceinture d'arrondissements, au sud, à l'ouest, un peu au nord, les 14e, 15e, 16e, 17e et notre 18e aussi, vivaient sous le feu versaillais. Il arriva bien un jour qu'un obus tomba sur la place de l'église de Montmartre, et ce fut un grand émoi. Mais c'était peu de chose en comparaison du bouleversement qui ruinait les autres quartiers périphériques. Passy n'était plus que décombres. Nous ignorions tout cela et si du moins la violence des canonnades versaillaises nous laissait supposer que les choses n'allaient pas au mieux pour nos fortifications, nous étions loin d'imaginer l'étendue et la gravité du désastre. Il faut dire d'ailleurs que la confiance était telle que douter de la victoire de la Commune pouvait passer, non pour trahison mais pour défaitisme suspect.

Il est possible aussi que mes parents, soucieux de préserver ce qui restait en nous de quiétude

---

* *Place Saint-Georges, dans le 9e arrondissement.*

juvénile, n'aient pas jugé utile de nous alarmer par de tragiques révélations. C'est possible, dis-je, mais je n'y crois guère. Même Louise, qui luttait pourtant au cœur des combats, ne paraissait pas mesurer l'ampleur du front de feu.

C'est pourquoi Émile et moi restâmes stupéfaits de découvrir, lorsque nous eûmes passé la limite du 16e arrondissement à la hauteur de la place de l'Arc-de-Triomphe, des quartiers ruinés et défaits, des rues mortes aux maisons éventrées. Le château de la Muette, utilisé comme poste de commandement par l'incomparable chef militaire fédéré qu'était Dombrowski, béait de part en part et nous sembla abandonné.

Nous étions presque au terme de la longue course ; à la source d'Auteuil Émile s'arrêta, s'adossa à un arbre :

– Pascal...

– Oui ?

– Tu crois que c'est prudent de continuer ?

– Prudent ? Non, je ne crois pas. Mais ce serait tout de même rageant de devoir retourner au Tertre maintenant que nous sommes à deux pas du but. Et puis qu'est-ce qu'on risque ? Des obus sont tombés ici par hasard, ils ne devaient pas viser particulièrement le quartier.

Mon argument était pauvre ; Émile ne répondit rien et je n'insistai pas. Tout à coup il demanda :

– C'est encore loin ?

– La rue est à cinq cents mètres, guère plus... Émile ! Ne bouge pas ! Reste derrière ton arbre !

Mon injonction l'avait surpris et l'immobilisa.

– Qu'est-ce qui se passe ?

– Ne bouge pas, ton arbre me cache aussi. Là-bas, juste à l'entrée de la rue, c'est Ducatel, avec un homme !

Émile ne put se retenir de découvrir sa tête pour lorgner vers le bout de la rue ; au même instant Ducatel quittait son interlocuteur, nous tournant le dos. Il s'en fut à grandes enjambées vers la rue de la Source. Il portait le costume de velours sombre que je lui connaissais bien.

Nous le suivîmes à bonne distance : il passa devant chez lui sans s'arrêter et nous surveillâmes les abords un moment avant de poursuivre, dans la crainte de rencontrer Antoine ou Gaston qui m'auraient tout de suite reconnu. Mais la petite rue était déserte et nous continuâmes notre filature sans incident. Ducatel se dirigeait vers la porte de Saint-Cloud. À la hauteur de la voie de chemin de fer, il obliqua à gauche. Les canons versaillais, qui n'avaient pas cessé leur tir un seul instant, se firent plus proches. De loin en loin nous voyions la fumée de leurs éclatements. Je n'étais plus rassuré du tout ; Émile se taisait.

– Qu'est-ce qu'il peut aller faire par là ? Ce sont des terrains vagues, par ici, c'est plein de trous d'obus…

– Je ne sais pas, dit Émile d'une voix un peu enrouée, mais je n'ai pas envie de recevoir une balle ou un éclat.

Nous longeâmes la murette du petit cimetière d'Auteuil ; à l'intérieur, des tombes éventrées s'ouvraient au soleil.

– Mais il est complètement fou ! s'écria Émile en saisissant mon bras, regarde où il va !

Ducatel, que la proximité des étendues pilonnées rendait prudent, avait entrepris de traverser les immenses terrains vagues où s'élevaient les remblais du chemin de fer, en direction des remparts et du pont-levis d'un bastion proche. Entre la voie intérieure et les fortifications, l'espace était troué d'entonnoirs. L'homme s'arrêta ; la main en visière, il scruta les remparts et la porte du Point-du-Jour qui s'ouvrait sur la banlieue, ses battants brisés. Aucun pantalon bleu de fédéré, aucun reflet de chassepot sur les bastions éboulés, rien ne donnait vie à ce paysage de fer tordu, d'écroulements de murailles et de terre retournée. C'est alors que nous comprîmes que cette porte de Paris n'était plus gardée… À pas comptés, en nous faufilant d'obstacle en obstacle, nous nous étions rapprochés de Ducatel. Il semblait hésiter. Nous le vîmes fouiller ses poches, en sortir un carré de toile blanche plus vaste qu'un mouchoir, qu'il étala sur l'herbe rase. Puis il parut chercher des yeux, sur place, quelque chose autour de lui ; reprenant son étoffe, il disparut à notre vue.

– Ah ! ben ça, par exemple ! s'exclama tout à coup Émile, apercevant à nouveau Ducatel.

Je craignis que son éclat de voix nous fît remarquer mais notre cachette était bonne et l'homme, éloigné, ne pouvait plus nous voir. Il était apparu un peu plus loin, au-dessus du pont-levis démantelé, et gravissait avec prudence les éboulis du rempart, tenant à bout de bras une branche sur laquelle il avait noué son chiffon. Arrivé près du sommet, il s'accroupit et dressa lentement la tête par-dessus la ligne de crête puis, tout de suite après, son lamentable drapeau blanc. Plusieurs minutes s'écoulèrent, interminables ; immobiles, trempés de sueur, incapables d'un geste, nous attendions. Ducatel semblait maintenant fixer un point de l'autre côté des fortifications, dans les fossés. Il secoua la tête comme pour répondre à un interlocuteur que nous ne pouvions voir, agita en même temps son drapeau, et nous l'entendîmes soudain crier à toute force :

– Vous pouvez entrer ! Y a pas d'insurgés ici ! J'avais les dents tellement serrées que les mâchoires me faisaient mal. Sur le visage d'Émile il n'y avait plus que les taches de rousseur…

Puis tout se passa très vite. Nous vîmes apparaître sur la crête un officier à pantalon rouge qui rejoignit Ducatel, puis un autre suivit, et tous trois parcoururent le rempart avec précaution. Ducatel, du doigt, montrait la ville sans méfiance qui s'étalait devant eux. Pas un coup de feu, pas un cri, pas une alarme ne vinrent troubler leur inspection. Ducatel jeta son drapeau blanc, enjamba les éboulis et s'éloigna rapidement. Alors, par petits groupes compacts les lignards se faufilèrent par les brèches, passant le fossé du Point-du-Jour sur lequel, à la hâte, on venait de jeter un pont improvisé. Comme par enchantement, les canons cessèrent de tirer. Ce fut un ballet bien réglé auquel rien ne manqua, ni figurants, ni machinistes, ni jeux de bruits et de lumières. Versailles entrait dans Paris ; il était trois heures de l'après-midi, ce dimanche-là…

Quand nous décidâmes de nous arrêter, à bout de souffle, la place de l'Arc-de-Triomphe était en vue. Nous avions détalé comme des lapins, pris d'une indicible panique devant les Versaillais. Je sentais battre mon cœur à grands coups dans ma poitrine et ma chemise dégouttait de sueur. Nous nous jetâmes sur un banc au hasard d'une rue, la gorge sèche, haletants et tremblants de fatigue et de peur. Il s'écoula un bon moment avant que l'un de nous ouvrît la bouche. Émile parla le premier, d'une voix pâteuse d'assoiffé :
– Je ne l'aurais pas vu, je n'aurais pas pu y croire, dit-il en quêtant mon avis du regard.
– Moi non plus, articulai-je, le souffle court.
Entre nous un silence particulier s'établit : je sentis qu'Émile pensait à mon père et j'y pensais aussi. Condamnait-il sa mansuétude à l'égard d'un homme dont nous venions de surprendre la trahison ? Estimait-il que la modération du père Clarisse, aux motifs certes honorables, avait été exagérée en l'occurrence ? Je n'en sais rien, il n'en dit pas un mot ; mais il ruminait.
Nous avions peu à peu repris notre calme. Les sourds grondements des canons ne s'amplifiaient pas, les rues gardaient leur aspect tranquille et les rares promeneurs, dans ce

quartier bourgeois à demi déserté depuis l'entrée en guerre contre la Prusse, semblaient à cent lieues de se douter de l'incroyable nouvelle. Elle représentait, pour certains, le point final ou presque d'un intolérable marasme et, pour beaucoup d'autres, elle marquait le début d'un cauchemar…

– Viens, Pascal, il faut avertir ton père, maintenant.

En me levant je sentis mes jambes trembler encore et je crus ne plus pouvoir avancer.

– Qu'est-ce que tu as ? Tu es tout pâle…

– Non, non, ça va aller, merci, Émile. Je n'avais jamais tant couru. Et puis, côté pâleur, tu n'as rien à m'envier, je crois… J'ai eu rudement peur.

– Si tu crois que j'étais plus fier…

À pas lents tout d'abord, car nous n'avions pas encore retrouvé nos forces, nous reprîmes notre route pour atteindre les Champs-Élysées par la rue Galilée, trop loin des postes et des batteries fédérés qui montaient la garde près de l'Arc-de-Triomphe, et trop fatigués et trop troublés aussi pour songer à les prévenir. Il me semble d'ailleurs que cette attitude infantile qui consiste à garder pour soi, pour son quartier, pour ses proches, le poids de l'événement dont nous avions été témoins, se retrouva souvent chez les hommes courageux qui défendirent leur ville contre l'envahisseur. Incomparables de bravoure et d'efficacité dans la guerre de leurs rues, les Parisiens n'entendaient rien et ne voulaient rien devoir à la stratégie des écoles militaires…

Nous arrivâmes rue Saint-Rustique vers quatre

heures et demie. Le soleil était haut, chaque bouquet d'arbres bruissait de moineaux et derrière les volets à demi fermés sur la chaleur qui montait de la ville, Montmartre chantait et riait. Ne trouvant personne à la maison comme nous l'avions pressenti, nous courûmes encore une fois jusqu'au Champ Polonais. Sans grande hâte, quelques fédérés roulaient des pièces de 7, entassaient des fascines, la tunique déboutonnée et la poitrine à l'air. Parmi eux se détachait la haute taille du père Clarisse. Quand ils nous aperçut, de très loin il nous fit des signes de reconnaissance. À le voir sourire ainsi j'eus honte du trouble que nous allions jeter ; Émile aussi, sans doute, car il me glissa :
– Ça me fait mal de le voir confiant comme ça, si détendu…
À quelques pas, mon père devina toute suite quelque chose d'anormal dans notre attitude.
– Vous en faites une tête, les garçons. Qu'est-ce qui ne va pas ?
J'ouvris la bouche pour parler, je ne trouvai rien à dire. La gorge serrée, incapable de sortir un son, je me tournai vers Émile. Il avait relevé la tête comme il le faisait toujours lorsqu'il était gêné ou intimidé, dans une pose crâne qui l'ennoblissait. Il avala sa salive avec difficulté.
– Père Clarisse, les Versaillais sont entrés dans Paris !
– Hein ! Attends un peu, répète-moi ça ! dit mon père sur un ton qu'il s'efforça de garder calme, mais en nous fixant intensément.
Je vins au secours d'Émile :

– C'est vrai, papa, par le Point-du-Jour !

– Comment ça, par le Point-du-Jour ? Mais vous êtes fous, les enfants ! Ce n'est pas possible, voyons ! Qui vous a raconté des âneries pareilles ?

– Mais personne, m'sieur Clarisse, personne ! On les a vus !

Mon père laissa tomber ses bras le long de son grand corps. Incapable d'admettre, de but en blanc, une nouvelle de cette taille, il nous fit raconter d'un bout à l'autre l'équipée d'Auteuil. Dans un souci de vérité à laquelle nous conviait l'évidente incrédulité de mon père, nous relayant à chaque hésitation, nous insistâmes sur les détails de notre aventure.

– Il n'y a pas un instant à perdre, dit le père Clarisse, lorsque sa conviction fut faite. Vous pouvez dire que vous l'avez échappé belle. Ne recommencez jamais une bêtise pareille.

Personne n'avait été témoin de notre récit ; nous étions à l'écart des fédérés au travail. Mon père courut vers l'un d'eux et, en quelques phrases précises, le mit au courant de la situation. La stupéfaction se peignit sur le visage de l'homme. Du bras, deux ou trois fois, le père Clarisse nous désigna. Émile croisa mon regard en souriant tristement :

– Tu vois, on est déjà célèbres.

– Tu parles…

Mon père revint, nous prit par les épaules, nous entraîna vers le Tertre. Sur ma chemise je sentais trembler le bout de ses doigts.

Rue des Rosiers, à la hauteur de l'église, nous vîmes au loin un homme qui montait en courant la pente douce de la rue Saint-Rustique. Il s'arrêta devant chez nous, disparut dans le jardinet ; mon père hâta le pas. Peu après, ayant évidemment frappé en vain, l'homme réapparut, fit quelques pas incertains comme s'il ne savait plus où se diriger et soudain, nous aperçut. Alors il se mit à courir vers nous en gesticulant. Arrivé à notre hauteur, il ralentit sa course, reprit sa respiration et lança :

– Père Clarisse, les Versaillais…

D'un geste qui disait son immense déception, ses craintes aussi, mon père l'arrêta :

– Oui, dit-il, je sais, les loups sont entrés dans Paris…

## 11

## AUX ARMES, CITOYENS !

Lorsque la nuit vint, un profond silence se fit sur Paris. Le canon s'était tu. Dans l'atmosphère tiède, pénible, d'un calme impressionnant, l'inquiétude se mesurait à l'épaisseur de ce silence. Au-dessus de la ville noire, Montmartre n'avait pas encore refermé ses volets ; derrière les croisées entrebâillées, on veillait. Dans les rues, des groupes muets, des pas de brodequins, parfois l'éclat d'une baïonnette, le tintement d'un chassepot : la Butte, surprise et désemparée, ne bougeait plus. On attendait. Car il fallait bien qu'il vienne, ce lignard, jusqu'au Tertre ! Il fallait bien qu'il le montre enfin, son visage, celui-là qui prenait le parti de Versailles pour massacrer son frère !

Dans la salle commune, serrés autour de la table, nous écoutions le père Clarisse…

Comme tu montras ta force, mon père, cette nuit-là ! Comme je t'ai admiré ! Mes yeux suivaient tes doigts courant sur Paris déplié sous la lampe où tu pointais batteries et barricades. Elles volaient, tes mains, du boulevard Ornano, porte de Clignancourt, à la rue des Martyrs, au boulevard de Clichy : comme elles barraient bien le chemin, à elles seules, aux soldats de Thiers.

– Montmartre pourrait être imprenable, c'est une citadelle, disais-tu, mais une citadelle dans laquelle rien n'est en état pour se défendre. Pourquoi a-t-on laissé rouiller nos canons ? Pourquoi n'y a-t-il pas seulement une gargousse pour nos pièces de 7 ? Et nous n'avons, sur plus de quatre-vingts pièces disséminées chez nous, que trois affûts pour les mettre en batterie ! C'est dérisoire ! C'est scandaleux !

Près de toi se tenait un fédéré, un gradé sans âge qui sentait la vieille pipe et semblait connaître son affaire. Quelques autres dont j'ignorais les noms parlaient ferme, le poing serré, imaginaient déjà des manœuvres impossibles, des contournements audacieux, toute une stratégie verbale irréalisable sous le feu. Je me souviens, mon père, de ton insistance particulière à les convaincre de la nécessité d'une défense active et soutenue le long des fortifications nord de Paris, celles qui bordaient et limitaient Montmartre.

– Allons, père Clarisse, avait protesté l'un d'eux, approuvé du chef par quelques autres, à quoi bon perdre nos forces au nord quand ils viennent du sud et de l'ouest !

Alors, inlassable mais avec véhémence, tu avais repris ton explication. L'ongle de l'index suivait le tracé de la route stratégique qui ceinture Paris et tu montrais, une fois encore, combien il était facile pour les Versaillais de tourner nos positions en encerclant la Butte, de nous prendre à revers, de détruire en quelques heures toutes nos défenses.

Mais ces entêtés ne voulaient rien entendre. Il était passé dans ton regard bleu une ombre de colère. Posés sur la carte étalée, tes doigts s'énervaient un peu. Tu t'étais ressaisi :

– C'est bon. Je n'irai pas seul me faire prendre pour la gloire mais je vous préviens que je ferai tout pour rassembler, dès demain, des volontaires aux portes de Saint-Ouen et de Clignancourt. On poussera jusqu'à la porte de Clichy s'il le faut mais il ne sera pas dit que Montmartre est tombé par surprise, si par malheur il tombe. Les troupes de Douay ne sont pas encore là, que je sache, il faut donc les prendre de vitesse. Ce ne sont pas seulement nos rues, nos maisons, qu'il faut défendre, mais la Commune et Paris tout entiers !

Un murmure de protestations, des bronchements accueillirent tes paroles. C'était ainsi : ces hommes pourtant courageux, décidés, n'entendaient pas se disperser ; il eût fallu, selon eux, défendre Montmartre d'abord, demeurer dans sa rue l'arme au poing, tenir sa barricade, jusqu'au dernier.

– Alors, tonnas-tu soudain, lorsque vos camarades risquent d'être pris ou tués deux rues plus loin, vous trouveriez normal de vous terrer dans la vôtre en attendant votre tour, c'est ça ? Vous rendez-vous compte du danger que

**151**

cela représente pour tous ? Je vous en prie mes amis, du bon sens, de l'ordre avant tout... Louise te regardait, les yeux agrandis par la force intérieure qu'elle puisait dans ta force. Et toi, ma mère, tu avais pris Stéphane sur tes genoux, enroulé dans ton châle, et ton regard ne nous voyait pas ; il voyageait, perdu aux limites du possible, loin derrière les jours à venir, pour y trouver encore courage dans l'espérance d'un victorieux sursaut.

Nous veillâmes tard, dormîmes à peine. Vers cinq heures du matin, une fusillade lointaine, claire et crépitante, nous éveilla. Le soleil se leva, doux et pur comme la veille, dans un ciel où vibrait le tocsin ; tambours et clairons réunis, la générale battait le rappel des fédérés. Paris s'armait.

Nous descendîmes en hâte vers le boulevard de Clichy. Près du moulin de la Galette, des Montmartrois en grappe lisaient une affiche toute fraîche. Mon père s'approcha :

Je vis bien qu'elle n'était pas de son goût.

– Voilà, voilà ce qu'il ne fallait pas écrire. Comment éviter désormais l'éparpillement de nos forces ? Quand les responsables eux-mêmes nient toute discipline, que faire ? Vois-tu Pascal, dit-il en posant son bras sur mes épaules dans un geste de familiarité virile qui me toucha, hier j'ai craint de ne pas les avoir convaincus de la nécessité d'une lutte organisée. Quand ils liront cet appel ils seront rassurés, ils diront : le père Clarisse radotait, nous n'avons pas besoin d'officiers pour nous apprendre à combattre, la preuve. Restons là, dans nos rues...

RÉPUBLIQUE FRANÇAISE

LIBERTÉ - ÉGALITÉ - FRATERNITÉ

N° 386

# COMMUNE DE PARIS

\* \* \*

**Au Peuple de Paris,**
**À la Garde nationale.**
**CITOYENS,**

Assez de militarisme, plus d'états-majors galonnés et dorés sur toutes les coutures ! Place au Peuple, aux combattants, aux bras nus ! L'heure de la guerre révolutionnaire a sonné.

Le Peuple ne connaît rien aux manœuvres savantes ; mais quand il a un fusil à la main, du pavé sous les pieds, il ne craint pas tous les stratégistes de l'école monarchiste.

Aux armes ! citoyens, aux armes ! Il s'agit, vous le savez, de vaincre ou de tomber dans les mains impitoyables des réactionnaires et des cléricaux de Versailles, de ces misérables qui ont, de parti pris, livré la France aux Prussiens, et qui nous font payer la rançon de leurs trahisons !

Si vous voulez que le sang généreux, qui a coulé comme de l'eau depuis six semaines, ne soit pas infécond ; si vous voulez vivre libre dans la France libre et égalitaire ; si vous voulez épargner à vos enfants et vos douleurs et vos misères, vous vous lèverez comme un seul homme, et, devant votre formidable résistance, l'ennemi, qui se flatte de vous remettre au joug, en sera pour sa honte des crimes inutiles dont il s'est souillé depuis deux mois.

Citoyens, vos mandataires combattront et mourront avec vous, s'il le faut ; mais au nom de cette glorieuse France, mère de toutes les révolutions populaires, foyer permanent des idées de justice et de solidarité qui doivent être et seront les mois du monde, marchez à l'ennemi, et que votre énergie révolutionnaire lui montre qu'on peut vendre Paris, mais qu'on ne peut ni le livrer ni le vaincre.

La Commune compte sur vous, comptez sur la Commune.

1er prairial, an 79

*Le Délégué civil à la Guerre,*
**CH. DELESCLUZE.**
*Le Comité de Salut public,*
**Ant. ARNAUD, BILLIORAY, E. EUDES,**
**F. GAMBON, G. RANVIER**

IMPRIMERIE NATIONALE – Mai 1871

Sur mes épaules la pression se fit plus forte, ou peut-être s'abandonna-t-il un peu. Je levai les yeux vers lui. Son visage m'apparut creusé, plus pâle, tiré de plis de fatigue que je ne lui connaissais pas. Il secoua la tête, comme saisi d'un indicible découragement, m'entraîna hors du groupe. Je l'entendis murmurer :

– Des romantiques…

Ce n'est que plus tard, beaucoup plus tard, que je compris le sens de sa réflexion ; mais quand je vis son poing se serrer j'eus la certitude que lui seul avait raison et qu'il était désespéré.

Nous longeâmes le boulevard*, au milieu d'une population surprise et désemparée. Çà et là se dressaient des pavés en tas. Sur les barricades qui s'élevaient aux angles des rues fermant la Butte, on entassait, pêle-mêle, des matériaux de toutes sortes, on jetait des matelas, des grilles d'arbres, des roues de voitures. Les magasins, ouverts comme chaque jour aux premières heures, avaient refermé leurs devantures. L'atmosphère transpirait d'une fièvre confuse, de l'excitation résolue d'un peuple qui ne veut pas baisser les bras. Des drapeaux rouges fleurissaient la large avenue, leurs taches éclataient entre les rameaux verts des marronniers. Nous nous arrêtâmes place Clichy. Des murettes grossières fermaient déjà les rues de Saint-Pétersbourg et d'Amsterdam, des femmes en grand nombre cousaient des sacs de terre qu'emplissaient des gamins ; la pelle et la pioche n'étaient encore que leurs

* Le boulevard de Clichy, limite sud du 18e arrondissement.

seules armes. À l'ouest, vers le parc Monceau peut-être, claquaient déjà des chassepots. Les canons avaient repris, au-dessus de Paris, hargneusement, leurs pilonnages croisés.

Mon père ne disait mot. En remontant la rue Caulaincourt, nous fûmes hélés par un groupe de fédérés qui barrait la route sur toute sa largeur :

– Un pavé, citoyen, pour notre barricade…

Je vis mon père sourire en même temps que j'entendais :

– T'es fou ! C'est le père Clarisse !

– Oui les gars, hé ! C'est le père Clarisse !

Les gardes nationaux cessèrent leur travail, s'agglutinèrent autour de nous. Mon père grimpa sur les pavés.

– Camarades ! Montmartre doit être la forteresse qui arrêtera les armées versaillaises. Il faut des volontaires pour défendre nos arrières : j'ai besoin d'une vingtaine d'hommes solides pour repousser, si c'est nécessaire, l'avance des lignards le long de la route stratégique*, aux fortifications nord ! Que ceux qui acceptent de me suivre se désignent !

Trente mains se levèrent.

– Mais pourquoi qu'on ne leur tire pas dessus de là-haut ? cria l'un d'eux en montrant du pouce, par-dessus son épaule, le sommet de la Butte. C'est pourtant pas les canons qui manquent. Et puis ça éviterait la promenade !

– Nous n'avons pas de munitions, pas d'affûts, avoua mon père, plus bas, comme s'il se sentait

---

* Formée aujourd'hui par les boulevards dits "des Maréchaux".

coupable devant eux de cette situation alarmante. L'Hôtel de Ville est prévenu. Ayez confiance.

– Ouais, gouailla un grand maigre, pendant ce temps-là les lignards avancent... On ira se faire tuer pour rien et la Butte sera prise tout de même !

– Ah ! tais-toi, La Volige ! coupa un autre. Si tu veux n'en faire qu'à ta tête tu n'as qu'à rentrer chez toi !

– C'est vrai, dit un homme tout près de nous, en se tournant vers le père Clarisse, il faut les comprendre. Ils en ont vu de toutes les couleurs pendant le siège. Et puis quand la Commune leur a beaucoup demandé ils ont tout accepté sans broncher. Maintenant que la menace est lourde, ils ont l'impression que le Comité central les abandonne sans leur donner les moyens de se défendre. Alors vous savez, dans ces cas-là, c'est chacun pour soi, ou presque.

– Écoutez, écoutez camarades, fit mon père en apaisant de ses deux mains tendues le brouhaha des conversations animées qui se croisaient à ses pieds, le moment n'est pas aux querelles ni à l'esprit de clocher. Il s'agit de faire vite...

Il tira de sa poche son oignon de cuivre :

– Il est neuf heures. Je monte au Champ Polonais. J'y ferai de mon mieux pour que des batteries soient mises en action sans tarder. Je donne rendez-vous ce soir à neuf heures, rue Saint-Rustique, aux volontaires des fortifications nord. À ce soir ! Courage à tous !

Il se tut, parut vouloir reprendre encore la parole, mais jugea sans doute inutile d'en dire davantage : il y avait longtemps que ces hommes – et mon père avec eux – étaient las des discours.

– Vive la Commune ! cria-t-il en levant les bras.

Un écho de cinquante poitrines lui répondit. Il descendit de la barricade, me reprit par les épaules ; j'étais fier de lui, et si ému que mes yeux s'embuèrent...

C'était au soir de ce lundi. Ma mère avait laissé ouverte sur le jardinet la porte de la salle, pour que se rafraîchisse l'air immobile de la maison. Nous mangions sans un mot. Par instants, Louise se levait, allait au petit mur de la rue, écoutait, revenait s'asseoir en soupirant. Mal à l'aise dans ce silence d'adultes dont l'épaisseur amplifiait encore le tonnerre du canon, Stéphane avalait sa soupe par petites lampées, serré contre ma mère, cherchant à déchiffrer, par une inlassable et muette interrogation de nos visages, les raisons de notre mutisme.

La nouvelle était venue dans l'après-midi, brutale, effrayante : les Versaillais ne faisaient pas de prisonniers, fusillaient sur place les fédérés qui tombaient entre leurs mains. On racontait aussi que nulle pitié n'avait épargné les civils : les rues d'Auteuil et de Passy avaient été le théâtre d'exécutions sommaires.

– C'est égal, dit soudain ma mère, quand je

pense que les officiers qui commandent ces atrocités sont ceux qui fuyaient comme des poltrons devant les Prussiens ! On mesure leur lâcheté à la façon dont ils se comportent à l'égard de leurs compatriotes ! Si tout leur courage est là, leur conscience ne vaut pas cher !

Mon père releva la tête, l'air sombre et sévère.

– Je sais, Élise, ces hommes-là sont méprisables. Mais il y a leurs soldats, des provinciaux pour la plupart. J'ai du mal à croire que ceux-là soient des bêtes sanguinaires ; ils n'ont pas d'affront à laver, pas de défaite honteuse à faire oublier comme leurs officiers. Je veux croire que ce que nous avons appris constitue des cas isolés, des erreurs. C'est plus fort que moi mais je ne peux pas imaginer qu'un brave bougre, enrôlé sans le savoir dans l'armée versaillaise, ne se sente pas solidaire de la cause que nous défendons…

– Eh bien, vous avez tort !

Repoussant violemment sa chaise Émile s'était levé, pâle, décomposé, la bouche et les mains frémissantes. Ses doigts tachés de roux montèrent aussitôt vers ses lèvres comme pour les clore, comme pour y faire rentrer ce qu'elles venaient de lancer. Nous avions tous sursauté.

– Qu'est-ce qui se passe, Émile ? dit mon père sur un ton qu'il voulut calme.

Il ne répondit pas, se rassit, les coudes sur la table, cacha vivement dans ses mains sa figure tachetée ; ses épaules tressaillaient convulsivement. Je m'étais levé mais Louise m'avait devancé. Elle alla s'accroupir près de lui, tenta d'écarter les doigts serrés qui fermaient son visage, mais il tint ferme.

– Émile, voyons Émile, répétait-elle, passant dans ses cheveux la caresse de ses doigts délicats.

– Qu'est-ce qu'il a, Émile ? chuchota Stéphane. Ma mère lui sourit, un doigt sur les lèvres, impressionnée par cette détresse inattendue et inexplicable, et posa sa main sur la nuque d'Émile, un peu gauchement.

– Raconte-nous, Émile, raconte-nous... Nous sommes tes amis, tu le sais...

Mais Émile n'avait plus rien à dire. Toute sa révolte, le trop-plein de son secret, étaient passés dans son cri, dans ce refus d'admettre ce que mon père croyait encore possible. C'est sans doute à cet instant que je compris combien il était seul. Oh ! sans doute, la maison, la famille Clarisse étaient sa maison, sa famille, mais ces clichés n'étaient rien face à sa solitude. Il avait perdu à la fois, en quelques mois, la douceur d'une mère et le soutien d'un père. Et cet homme lointain, inexistant, qui avait cessé brusquement de poursuivre la régulière correspondance qu'il entretenait avec son fils, cet homme dont je ne savais rien, m'apparut soudain comme insignifiant.

– Charles, cet enfant est nerveusement très éprouvé. Il est fatigué, inquiet. Il faut qu'il aille se coucher sans tarder... Et puis ne t'inquiète pas, cette nuit, je veillerai avec Louise.

– Mais je ne veux pas aller me coucher ! Je veux vous aider ! Je veux faire quelque chose pour vous ! cria alors Émile en découvrant un visage où luisaient les larmes.

Ses yeux avaient pris une teinte inconnue, d'un bleu soutenu, et l'éclat en était si dur qu'il me fit peur.

– Je ne suis pas un petit garçon, reprit Émile, suppliant, je veux que vous me donniez quelque chose à faire pour vous défendre, pour vous montrer que je vous aime, que je ne suis pas un ingrat !

Mon père lui prit la main, tenta d'apaiser cet adolescent pâle qui criait dans la nuit quelque chose que personne n'entendait.

– Nous savons tous, Émile, que tu nous aimes, voyons. Calme-toi. Avec Pascal tu pourras nous aider, ne crains rien ; nous sommes là, unis, tous ensemble…

À cet instant nous arrivèrent les pas d'une troupe, au débouché de la rue Saint-Rustique. Louise se précipita dans le jardinet, se pencha sur la murette :

– Ah, ce sont eux enfin ! cria-t-elle en se retournant vers nous.

On entendit monter des voix d'hommes, des chocs de fusils heurtés aux baïonnettes, la lourde marche des "godillots" sur les pavés polis. Mon père s'était levé, avait décroché son chassepot. Il prit sa casquette, tira de derrière la porte un lourd sac bourré de cartouches, et alla vers ma mère. Les hommes, en uniforme de gardes nationaux, s'étaient arrêtés devant la maison ; c'étaient les volontaires de la rue Caulaincourt. Ils n'étaient qu'une quinzaine…

– Élise, ne reste pas à la maison si je ne suis pas de retour demain matin. Emmène tout de suite les enfants chez Guillaume, dans ce cas, et attendez-moi là-bas ; je ne tarderai pas, j'espère. Mais ici c'est trop dangereux maintenant.

Ma mère avait posé à plat ses deux mains sur sa veste noire et mon père avait pris sa taille. Du bras droit, il tenait son fusil.

– À bientôt, ma chérie...

Ils s'embrassèrent tendrement, longtemps, comme on se dit bonsoir les nuits où tout est bien.

– À bientôt, mon chéri...

Puis il nous embrassa, Louise et moi, s'arrêta un instant sur Émile sans mot dire et l'embrassa aussi en souriant. D'un bras solide il avait pris Stéphane contre lui, à hauteur de visage et mon frère jouait à peigner sa barbe comme les jours où tout est bien.

Il nous enveloppa tous d'un dernier regard circulaire, posa Stéphane et sortit. La petite troupe se remit en route et les pas décrurent jusqu'à la rue des Saules, où ils se perdirent. Sans un mot, comme pour préserver dans le silence un peu de ses paroles, un peu de lui qui flottait encore dans la pièce, nous allâmes nous coucher.

Au petit matin, c'est la fraîcheur du jour qui m'éveilla. La fenêtre était entrouverte. Surpris, je me tournai vers Émile : le lit était vide, ses vêtements n'étaient plus sur la chaise. Dans la salle commune, j'entendis ma mère et Louise échanger quelques mots ; elles n'avaient pas bougé de la nuit. Alors il fallut bien que je me rende à l'évidence : Émile avait disparu !

## 12

## "TU ES FORT, COURAGE..."

Je ne me suis jamais bien expliqué la raison qui me retint de me précipiter vers ma mère et ma sœur. Peut-être un peu d'espoir encore de m'être trompé, qu'Émile ne soit que sorti de très bonne heure, éveillé avant moi par les fusillades toutes proches, et la crainte ainsi de paraître affolé dans un moment où il fallait à tout prix garder mesure et sang-froid. Ou bien une sorte de pudeur, le souci de ne pas détourner par de nouvelles alarmes l'attente anxieuse que le départ de mon père avait fait naître. Je m'habillai donc rapidement, en m'efforçant de rester calme. Stéphane dormait encore ; je fermai la fenêtre avec précaution et sortis de la chambre.

Louise, la tête posée sur un bras replié, s'était endormie sur la table. Ma mère préparait sans bruit un paquet de linge empilé sur un large torchon ; elle leva un doigt vers ses lèvres en me voyant entrer. Son visage était triste, gris de fatigue et d'inquiétude. En l'embrassant, j'imaginai tout le trouble que ma découverte provoquerait :

– Bonjour maman... Tu... tu n'as pas vu Émile ?

Je n'eus pas besoin d'en dire davantage. D'instinct, elle comprit : elle courut à la chambre et la vue du lit vide lui fit baisser les bras le long de sa robe dans un grand mouvement de résignation accablée.

– Mais comment est-il sorti ? Nous n'avons pas bougé de la salle, nous n'avons jamais dormi en même temps, ta sœur et moi !

– Par la fenêtre, maman. Elle était ouverte.

– Par la fenêtre ! Le pauvre enfant ! Pourquoi a-t-il fait cela ? Il avait peur ? Dis-moi, Pascal, dis-moi, mon Pascal. La scène d'hier, à table...

– Mais non, maman, je ne crois pas, il s'est couché sans dire un mot, comme si c'était effacé...

– Enfin, que s'est-il passé ? Hier soir il avait l'air tellement malheureux ! Quelqu'un aurait dit quelque chose qui lui ait fait de la peine ?

Louise avait gémi, le corps parcouru d'un long frisson, un hoquet du corps tout entier. Elle rêvait sans doute, si l'on peut appeler rêve le cauchemar qui semblait tourmenter son sommeil...

– Émile ne m'a rien dit, pas un mot, après le départ de papa. Il devait être très fatigué, il s'est endormi tout de suite.

Et ma mère tournait autour de la table, parcourait la salle à pas lents, le visage entre ses paumes, le regard au sol. Elle s'arrêta près de

Louise, l'éveilla d'une caresse sur ses longs cheveux blonds.

– Va te reposer dans ta chambre, ma Louison, va.

– Mais non, maman, répondit Louise d'un voix sans timbre, je ne suis plus fatiguée. Je peux t'aider...

– Louison, sois raisonnable, ma chérie. Tu as veillé beaucoup plus longtemps que moi, cette nuit.

Ma sœur, vaincue, se leva en dodelinant. Sur le seuil de sa chambre, elle se retourna en souriant :

– Ne dites pas à Émile que je dors encore, il n'arrêterait plus de me plaisanter...

Nous n'eûmes pas le courage de lui avouer la vérité et Louise referma sa porte sur le pauvre mensonge que fut notre silence.

– As-tu une idée de l'endroit où il a pu se cacher ? Où a-t-il pu aller ? chuchota ma mère.

– Rue de Charonne, chez ses amis, je pense. Je ne l'imagine pas, tout seul, errant dans les rues, c'est impossible.

Ma mère parut accepter cette hypothèse rassurante comme la plus vraisemblable, la plus favorable aussi.

– La rue de Charonne est tout près de chez Guillaume, nous irons voir, conclut-elle en soupirant.

D'un accord tacite, nous n'en reparlâmes plus. À neuf heures, mon père n'était pas rentré. Ma mère éveilla Louise, habilla Stéphane. La fuite d'Émile, qu'il fallut bien annoncer, les consterna. Nous rangeâmes la maison comme pour une longue absence. Au moment de partir, Louise courut au jardin, derrière la maison, en revint les bras chargés d'éclatantes pivoines rouges. Elle les noua en un énorme bouquet qu'elle suspendit à notre porte et nous partîmes, abandonnant cet étrange drapeau. Ce départ fut marqué par un incident dont l'importance m'échappa sur l'heure mais qui devait me hanter plus tard ; il fut à l'origine de mes craintes et me permit cependant, bien après, de lever une cruelle incertitude. Nous avions pris par la rue de la Bonne, vers la rue Muller, pour descendre plus vite au bas de la Butte. Les volets des Montmartrois étaient clos. Du Champ Polonais nos canons tiraient vers les hauteurs du Trocadéro et à droite, vers les Batignolles, montaient les claquements de fouet des chassepots dans un ciel d'un azur si pur qu'il semblait absurde qu'il abritât une guerre civile. Où était mon père, à cet instant ? Dans quelle rue, sur quelle barricade défendait-il sa Commune, nos vies, ses idées généreuses ?

Je tenais Stéphane par le poignet. Il avait appliqué une oreille sur la manche de sa chemise et se couvrait l'autre de sa main restée libre. Ma mère et Louise marchaient à vingt pas devant nous, le balluchon au bout du bras. Sur les chemins de la Butte, quelques fédérés en armes, mal vêtus, gris de poussière, fatigués mais sur les traits desquels on devinait pourtant la résolution, veillaient derrière des sacs de terre autour du drapeau rouge, leurs fusils pointés vers Paris. Nous allions tourner l'angle de la rue de la Bonne et de la rue

Lamarck dans laquelle ma mère et ma sœur venaient de s'engager lorsque j'entendis devant nous une voix de femme, caquetant à l'abri de contrevents entrebâillés :

– Tiens, voilà deux bonnes femmes qui ne perdent pas de temps, disait-elle sur le ton haineux d'une commère à l'affût. Ça fait deux jours que les lignards sont à Paris, elles prennent le large ! Si c'est pas malheureux tout de même. Ça doit pas avoir la conscience bien propre pour se sauver comme ça !

Sans m'arrêter j'avais ralenti l'allure, les joues en feu. Ainsi, on croyait que nous fuyions lâchement ! J'eus envie de crier, de nous justifier, de leur dire que mon père était là-bas, dans le combat, qu'il risquait sa vie pour nous tous, pour elle tout aussi bien !

– Attendez, faites voir un peu, reprit une autre voix plus posée qui ne m'était pas inconnue. Mais c'est la Clarisse ! avec sa fille ! Ça ne m'étonne pas ! Ça a joué les communardes tant que c'était le bon temps et maintenant que ça sent le roussi, les voilà qui fichent le camp ! Faites attention, madame Nicaud, les gamins ne doivent pas être loin !

Nous arrivions juste sous la fenêtre. J'eus le temps d'apercevoir un bout de bonnet se retirer précipitamment :

– Qu'est-ce que je vous disais, chuchota la voix, les voilà qui passent...

Plutôt rond, haut en couleur, toujours une plaisanterie à raconter, l'oncle Guillaume était un personnage sympathique, jovial et volubile. Louise l'appelait Guillaume Tell, par dérision amicale car il n'avait rien du héros de Schiller, sinon le courage. Quasi légendaire dans son quartier, c'était comme on dit, une "figure". La révolution de juin 1848 lui avait laissé une balle dans la jambe et il soufflait très fort en escaladant le rude escalier qui menait chez lui. Il nous accueillit les bras ouverts, la pipe en bouche, un pantalon de garde national tendu sur ses grosses fesses. Nous étions harassés et Stéphane dormait contre mon cou, les bras pendant de chaque côté de mes épaules.

– Ma petite Élise, ma petite sœur, ne cessait de répéter l'oncle Guillaume en embrassant vingt fois ma mère.

Il nous claqua à chacun un gros baiser à moustaches sur les joues, enleva Stéphane jusqu'au plafond en riant comme un gosse, et s'aperçut enfin de l'absence de mon père en lisant l'inquiétude sur nos mines défaites.

– Mais où est Charles ? dit-il en reposant Stéphane encore sommeillant, qui n'avait pas compris où il se trouvait.

Ses bons gros yeux ronds étaient tout étonnés.

– Il est parti aux barricades hier au soir, répondit ma mère, et n'était pas rentré ce matin, comme il l'avait prévu. Montmartre est devenu trop dangereux, nous sommes convenus de l'attendre ici. On savait bien que tu nous accueillerais…

– Vous avez bien fait. Installez-vous du mieux que vous pourrez. Si tu veux, je peux laisser ma chambre, Élise, avec Louison…

Il partit dans un torrent d'explications sur la meilleure façon de partager les pièces de son minuscule logement, mais il était clair que le sort de mon père l'avait soudain préoccupé et sa faconde cachait mal son trouble. C'était, réellement, un très brave homme.

Nous déjeunâmes sans un mot, dans le calme apparent de l'appartement, entre les murs ternes de ce logis d'homme seul que nous n'osions pas inquiéter plus de nos propres angoisses. Puis ma mère n'y tint plus ; elle n'avait pas cessé de guetter le temps aux aiguilles des pendules.

– Je retourne à Montmartre, dit-elle en se levant, ce n'est pas possible d'attendre comme ça !

Chacun voulut, à travers un combat perdu d'avance, la convaincre de n'en rien faire, la dissuader de son dangereux projet, mais nos arguments s'épuisèrent vite, s'effritèrent devant sa volonté de femme résolue.

– Vous ne me pardonneriez pas, s'il était en danger, de le laisser seul – et vous auriez raison. Vous ne savez rien, rien de plus que moi. Laissez-moi partir. Je vous promets seulement de revenir ce soir, avant la nuit tombée, même si je ne l'ai pas trouvé.

Je pris ma mère par le cou :

– Maman...

– Oui, Pascal.

– Laisse-moi aller rue de Charonne, de mon côté ; c'est à deux pas, je veux savoir si Émile s'y trouve.

Elle hésitait.

– Je serai prudent, tu sais bien qu'il ne m'arrivera rien...

**169**

Ses lèvres eurent un petit sourire triste.

– Ton père aussi disait ça, hier soir…

Puis elle comprit que ses raisons n'avaient pas plus de valeur que celles que nous venions de lui opposer…

Nous descendîmes ensemble au bras l'un de l'autre. C'est devant la mairie du 11e, boulevard Voltaire, parmi les fédérés et les femmes qui montaient au combat en poussant les mitrailleuses, que nous nous séparâmes. Ma mère m'embrassa longuement, tendrement, plus tendrement et plus longuement qu'elle n'en avait l'habitude ; elle me passa la main sur la joue et dit :

– Je t'aime tant, mon garçon. Tu es fort, courage…

Des yeux, je suivis longtemps la robe claire qu'elle portait depuis les beaux jours et qui lui donnait un tour de jeune fille. De très loin elle se retourna, me cherchant un instant dans la foule et fit, sans m'avoir trouvé, un signe de la main qui fut comme un adieu à tous.

Je ne devais plus la revoir…


Allongé de tout son long sur un trottoir de la rue Myrha, les bras en croix, pareil à un grand christ blême, il y avait un fédéré mort contre lequel je vins buter. Les réverbères n'avaient plus de gaz et la ville était morte aussi. Il y avait plus d'une heure que j'errais, sans peur, sans conscience du danger, à travers les chemins noirs de Montmartre. La vue de ce cadavre ne me troubla pas ; c'était le trentième peut-être que j'enjambais, parmi les pavés gris et les rues défoncées. Je n'avais qu'un seul but, une unique volonté tendue, retrouver ma mère. Lorsque je pensais à mon père, je le voyais grand, le sentais plein de force et d'énergie, et l'image de cet homme monumental et doux, aux yeux couleur de ciel, me rassurait. Mais ma mère ? Pourquoi n'était-elle pas revenue chez l'oncle Guillaume ? Dans quel piège, au milieu de quelle échauffourée était-elle tombée pour ne plus être parmi nous qui l'attendions de toutes nos forces et de toutes nos prières ? Ailleurs, plus bas, du côté de la rue de Maubeuge, on se battait toujours dans la nuit sous un ciel déjà rouge des premiers incendies. Où étais-tu, ma mère ? Qui voyait ton visage, qui entendait ta voix nous appelant peut-être ?

J'étais épuisé. Je m'arrêtai et regardai l'homme ; son visage paraissait jeune, il avait quelque chose d'Aubrun mais, bien sûr, ce n'était pas lui. Près de l'épaule, le tissu sombre de sa vareuse s'auréolait d'un cercle humide qui cernait un trou noir. La tête vide, je m'assis près de lui sur une pierre renversée et m'appuyai de la nuque au mur froid de la maison contre laquelle le fédéré était étendu. Je reprenais peu à peu mes esprits, retrouvais une respiration plus calme…

L'après-midi, je m'étais rendu rue de Charonne ; on y avait presque oublié Émile. Les amis de son père semblaient considérer notre adoption comme acquise de droit et n'entendaient plus être pris pour responsables de lui. Et puis, d'ailleurs, il n'était jamais revenu chez eux, depuis mars. Un peu dérouté par cette

**171**

attitude, mais surtout cruellement déçu de voir s'envoler le dernier espoir de retrouver Émile, j'avais remercié ces petits-bourgeois craintifs d'un signe de tête maladroit de fausse désinvolture, qui avait dû passer pour une incorrection. De retour rue de la Roquette j'avais laissé couler les heures, chacune apportant avec elle un peu plus d'anxiété. La peur était venue avec la nuit et, sur le coup de neuf heures, n'y tenant plus, j'avais supplié mon oncle et ma sœur de me laisser partir à la recherche de nos parents. Ç'avait été, du refus catégorique aux explications négociées, des supplications de Louise aux semonces de l'oncle Guillaume, une scène pénible et tragique. Mais, profitant d'un instant de répit, les laissant croire tous deux à ma résignation, j'avais soudain bondi vers la porte, dévalé le four noir de l'escalier et sauté dans la rue qui accueille et comprend tout le monde. J'entendais encore la voix de Louise, déchirante, descendre en vibrant du palier de l'oncle Guillaume jusqu'au porche sonore :

– Reviens, Pascal, reviens, je t'en supplie Pascal, ne nous laisse pas seuls, Pascal…

Son cri s'était perdu sous les solives de la cage d'escalier…

Je regardai le malheureux couché près de moi. Il était affreusement immobile ; la pensée de ma mère revenait, brûlante comme la soif.

Tout à coup j'entendis un bouillonnement, une sorte de faible gargouillis qui venait de l'homme mort ; je reculai, effrayé, et me tins dans l'ombre, prêt à fuir.

Le râle cessa et, distinctement, une voix arti-
cula :

– Boire…

Sur l'instant, incapable de bouger, je fixai la
bouche qui venait de parler, souhaitant revoir
ce soubresaut pour y croire.

– De l'eau, reprit la voix, et là, à n'en plus douter, c'était bien le fédéré qui appelait ainsi.

– Tu es là ? C'est toi, Fabien ? Blessé. Je suis
blessé dans mon côté.

Je ne compris pas pourquoi cet homme se
plaignait de son flanc alors que la balle qui
l'avait couché sur ce trottoir était visiblement
entrée dans l'épaule ; je me glissai jusqu'à lui,
me penchai sur la face blanche.

– Monsieur… monsieur…

– C'est toi, Fabien ? Qui c'est qui parle ?

– C'est moi, dis-je, sans réfléchir à l'absurdité
de ma réponse. Ne bougez surtout pas, je vais
chercher à boire.

Je connaissais mal le quartier de la rue Myrha,
ignorais où se trouvaient les fontaines, et la
nuit estompait les environs. Près du garde
national s'ouvrait une sacoche, la sienne peut-
être, éclatée dans le ruisseau par sa chute.
Sous le rabat de toile luisait un bidon de fer
que je tirai. Je le secouai et vis qu'il n'était pas
vide.

– De l'eau… gémit l'homme.

J'approchai des lèvres entrouvertes l'étroit gou-
lot du bidon débouché. Un filet coula dans sa
bouche. Il eut un hoquet épouvantable et
recracha : c'était du vin.

– De l'eau…

Désemparé, malheureux d'avoir pu faire inutilement souffrir ce moribond, je bredouillais tout bas des excuses inutiles quand je sentis une main se poser sur mon épaule. Je me retournai d'un bond comme un chat surpris et sentis mes joues devenir froides ; une silhouette féminine se découpait sur le ciel violet. J'eus la folle pensée d'imaginer que c'était ma mère ; mon cœur battit plus fort encore.

– Ne crie pas, me dit une voix douce qui n'était pas la sienne, je ne te veux pas de mal. Il est gravement blessé ?

– Je ne sais pas, je voulais lui donner à boire, il a recraché…

Du doigt, je désignai la tache ronde de l'épaule. La silhouette s'accroupit ; je distinguai un visage qui me parut jeune, aussi jeune que cette voix un peu grave, belle et pleine comme une coulée de fontaine. Il était évident que cette femme ne devinait pas à quel point elle m'avait effrayé car, sans se préoccuper de moi, elle ramassa le bidon, en flaira le contenu qu'elle vida aussitôt dans le ruisseau, se releva et s'en fut.

– Ne bouge pas de là, je vais chercher du secours. Veille seulement à ce qu'il ne remue pas. Au bord du trottoir, la flaque que faisait le vin répandu en rejoignit une autre, près du blessé, et qui semblait s'épandre de sa ceinture…

Quelques minutes plus tard, la jeune femme revint, accompagnée de deux hommes. L'un d'eux portait l'uniforme de la Garde nationale et tenait à bout de bras, haut levée, une grosse lampe à pétrole.

– De l'eau... implora le fédéré en entendant leurs pas.

Il tenta un effort pour relever la tête, la laissa retomber sur le sol avec un bruit sec qui me fit mal, et ne bougea plus.

– Voilà, mon gars, on arrive... dit celui qui portait la lumière.

Juste à ce moment, l'angle lointain de la rue s'éclaira faiblement de quelques lueurs de lanternes ; dans le cercle de l'une d'elles j'aperçus distinctement des pantalons rouges.

– Attention ! soufflai-je, les Versaillais !

Surpris, le garde national fit volte-face, heurta du pied des pavés entassés et s'étala de tout son long ; la lampe éclata au sol dans un bruit de catastrophe et prit feu.

– Là-bas ! cria une voix sortie de la patrouille. Et ils se mirent à courir dans notre direction dans un grand cliquetis de fusils et de baïonnettes. Je détalai.

Le garde se releva, tenta de rejoindre en boitillant ses compagnons qui s'enfuyaient aussi devant les lignards, vers l'extrémité de la rue qui restait dans la pénombre, mais il était trop tard et la flamme du pétrole éclairait notre fuite. En même temps que j'entendis la salve, je vis l'homme tomber en tournoyant sur lui-même comme un pantin tragique. Je m'étais jeté sous un porche ; un groupe de soldats passa près de moi en courant sans me remarquer. À cet instant, j'eus moins peur et ne sus pas pourquoi ; peut-être avais-je dépassé un seuil capital au-delà duquel les frayeurs n'accrochent plus. Ils avaient rejoint les deux

175

inconnus, les ramenaient vers la lueur orange et fuligineuse du pétrole qui flambait au milieu de la chaussée.

Un gradé, un sergent je crois, hurlait :

– Et après ça, on viendra nous accuser d'incendier Paris avec nos obus, hein ! La main dans le sac ! Allez ! Au mur, la pétroleuse ! Et lui aussi !

Du doigt il désigna le compagnon de la jeune femme, enjambant le corps de celui que ses hommes venaient d'abattre.

Sans un mot, sans une plainte, sans même un geste de défense, d'esquive ou de protestation, les deux malheureux se plaquèrent très droits contre la maison, auprès du fédéré qu'ils étaient venus secourir. D'un mouvement brusque, ouvrant sa chemise des deux mains, l'homme découvrit son torse ; sa compagne croisa les bras sur sa poitrine. Dans leurs regards, une sorte de défi, de morgue superbe de courage tranquille, sembla impressionner un instant le sergent, qui ricana.

Les fusils se levèrent. Les condamnés se tournèrent l'un vers l'autre.

– Vive la Commune ! lancèrent-ils en même temps que claquait la salve.

Ils glissèrent ensemble sur le trottoir ; leurs bras s'enlacèrent, se retinrent dans le dernier mouvement de vie comme pour faire plus douce leur chute…

Alors, dans le pesant silence qui suivit, on entendit une voix plaintive, irréelle, suppliante :

– De l'eau…

En trois pas, le gradé fut près du fédéré agonisant. Il sortit son revolver, l'arma, et sans hésitation lui déchargea dans la figure ; je m'appuyai au bord du vantail qui me cachait et je crus que j'allais tomber...

– Hé ! mais y avait un gamin, avec eux ! clama soudain un lignard dont l'excitation semblait lourdement avinée, où il est, celui-là ? Il nous le faut aussi !

– Laisse tomber, dit le sergent, il ira pas loin, le quartier est cerné...

## 13

## LES LUMIÈRES DU MATIN

De l'instant où j'entendis la sarcastique menace du Versaillais, ma peur cessa tout à fait et je ne me souviens pas qu'elle eût beaucoup à m'éprouver plus tard. Ce dont j'avais été témoin, ce massacre gratuit, cette exécution sommaire, cruelle autant par la façon dont elle avait été menée que par l'injustice qui la présidait, me fut une révélation. Que l'on ne pense surtout pas qu'il s'agissait là d'un écart isolé, d'une "regrettable erreur" comme on se plut à l'imprimer sur les feuilles bien-pensantes qui parurent à Paris durant ces jours sanglants. Il y eut, hélas, un nombre incalculable d'exactions semblables, aussi meurtrières qu'inutiles, que l'histoire se chargera peut-être de révéler, si les hommes ont du courage. Car il en faudra probablement plus pour l'écrire, dans quelques années, qu'il n'en fallut pour les accomplir. Tuer sur place des mères et des enfants, des hommes jeunes ou âgés dont la moitié n'avait jamais tenu un fusil n'est, certes, pas un acte d'héroïsme : cela procède de la boucherie barbare que rien ne peut excuser. Tout au plus y trouvera-t-on une explication dans la peur instinctive des fédérés dans laquelle les soldats versaillais avaient été soigneusement entretenus. Ne disait-on pas, ne lisait-on pas, à Versailles et ailleurs, que les hommes de la Commune n'étaient que brutes sanguinaires, racaille pleine d'alcool, un ramassis d'étrangers, de bandits, de traîne-la-faim, de repris de justice ?

Lorsque je revois mon père, par la douceur du regard et du geste dont il ne se départissait jamais, ou si rarement, j'ai là un bel exemple de ce que Thiers appelait "la canaille". Et je ne sache pas qu'Aubrun, pas plus que Vallès et Clément que j'eus la chance de croiser, aucun de ceux qui venaient s'asseoir à notre table avaient face de bandits. La vérité est au cœur de l'homme : j'ai toujours cru aux élans du mien…

Je n'eus pas de peine à quitter le porche de la rue Myrha : le gradé avait fanfaronné, la route était libre vers l'est. La patrouille n'avait pas plus tôt tourné le coin du boulevard* en direction de la Butte, vers ce qui devait être les vestiges de barricades qui ceinturaient Montmartre, que je sortis de ma cachette. On entendait toujours crépiter les fusillades ; j'abordai en trébuchant, les bras tendus dans la pénombre, le mur de pavés qui barrait la rue Stephenson, et

* *Le boulevard Barbès.*

**180**

je fis se lever des fusils. Des fédérés en faction m'entourèrent sans un mot. Derrière la haie de leurs armes j'en distinguai d'autres, allongés sur le sol, le chassepot entre les jambes, qui dormaient en ronflant. Interrogé, je racontai ma tragique aventure mais me tus sur la raison qui me faisait courir les rues à pareille heure. D'ailleurs, personne ne songea à s'en étonner. Les hommes hochaient en silence leurs casquettes à visière, les mains fermées sur leur fusil ; avec eux, j'avais confiance. Ils m'apprirent la chute de Montmartre dans les premières heures de l'après-midi, leur rage impuissante d'avoir vu flotter, au sommet de la tour Solférino, le drapeau des Versaillais triomphants.

– Il n'y avait rien pour se défendre, là-haut, disait un garde national d'un ton exaspéré. Toutes nos barricades se trouvaient tournées vers Paris : ils sont venus par le nord en nous prenant à revers !

– Mais, m'écriai-je, c'est bien ce que prévoyait mon père !

– Ah ! j'en sais rien de ce qu'il disait, ton père, répondit l'homme, la main tendue, paume vers le sol comme pour prêter serment, mais ce que je peux te dire c'est qu'il n'y en a eu qu'un sur la Butte, un seul, t'entends bien, qui a senti la menace : c'est le père Clarisse, et s'il n'avait pas été là, on y passait tous autant qu'on est...

La respiration suspendue, je regardai le bonhomme, l'air à la fois si heureux et surpris qu'il ajouta :

– Ça t'étonne ça ? Hein, mon gars ?

– Oh, non ! Oh, non !...

– Eh bien, t'es plus mariolle que tout le monde, alors !

Je parvins enfin à prononcer quelque chose de cohérent :

– Mais alors ? Il est là, mon père ?! Mon père, c'est lui, c'est le père Clarisse !

– Ah ! nom d'une pipe ! dit le fédéré, tu peux te vanter d'avoir un père comme lui ! Hé ! Mathieu ! Où est-ce qu'il dort, le père Clarisse ?

Je m'étais déjà précipité vers celui qu'on interpellait. Le nommé Mathieu, derrière des pavés, chargeait silencieusement des armes.

– Tiens, répondit-il, balançant son pouce par-dessus l'épaule, le réveille pas, il est là, sous le chariot.

À l'abri de la barricade, entre les sacs de terre tassée, une sorte de plateau sur quatre roues cerclées, surmonté d'un empilement d'obus maintenus en place par d'étroites ridelles, abritait une forme allongée, vêtue de noir. Je reconnus tout de suite la cotte de typographe. La tête près du timon, le père Clarisse dormait, en effet. Mon cœur battait à grands coups.

Il faisait tellement sombre sous la petite charrette que je dus habituer ma vue à l'obscurité pour distinguer ses traits. Me coulant entre les roues avec précaution je vins m'agenouiller près de lui ; il ouvrit les yeux, comme averti d'une présence insolite, cligna plusieurs fois sans voir :

– Qui est-ce ? dit-il d'une voix atone.

– Papa...

– Pascal ! C'est toi, Pascal ?

Se dressant brusquement il heurta de la tête le cadre du plateau. D'un bras, il agrippa mon cou, me tint embrassé en répétant :

– Mon grand, mon grand !… tout en frottant son front endolori contre ma chemise.

La joie me suffoquait.

– Papa, papa…

Et c'était bon de retrouver sa chaleur vivante, le doux de sa barbe sur mon bras, d'entendre sa voix, de voir dans le noir de ses yeux luire de minuscules feux pâles. Je te tenais, mon père, et ne voulais plus te quitter…

Je dis, dans un souffle :

– Et maman ?

Il leva vers le mien un visage étonné, froncé de rides incertaines. À son regard, je sus qu'ils ne s'étaient pas retrouvés, qu'il ne savait rien d'elle.

– Qu'est-ce que tu veux dire ? Où est-elle ?

Mon père s'était redressé, m'avait saisi par les coudes, me serrait si fort que ses doigts me pinçaient la peau, sous l'étoffe. Je fis non de la tête, ne sachant comment il interpréterait ce silence. J'étais incapable de parler.

– Mais où est-elle ? Dis, Pascal, où est-elle ? Tu ne veux pas dire…

Alors, à bout de résistance, ne pouvant plus longtemps contenir ma peine, je m'abattis sur sa poitrine et sanglotai comme un perdu :

– Partie… elle est partie… à ta recherche…

Je sentis ses muscles se détendre, son corps fuir comme relâché sous le coup d'un accablant découragement et, d'une voix détimbrée secouée par mes propres hoquets, il murmura :

– Élise… pourquoi as-tu fait ça ?

La nuit qui coiffait Paris n'était pas noire ; des lueurs d'incendies, orange et pourpres, frangeaient par places le profil en créneau des maisons basses et les bras en détresse des moulins de la Butte, là où les arbres espacés offraient une échappée sur la ville. Un silence épais, angoissant, que le contraste avec la furie guerrière du jour rendait plus insupportable encore, pesait sur Montmartre.

Depuis une heure, peut-être moins, nous progressions par les ruelles, mon père et moi, vers la rue Saint-Rustique. Il avait en deux mots informé ses compagnons d'armes de la disparition de ma mère. Beaucoup d'entre eux la connaissaient et plusieurs s'étaient spontanément proposés pour nous accompagner. Mais le père Clarisse, fermement, avec l'incomparable faculté persuasive à laquelle nul ne résistait, leur avait fait comprendre que leur devoir était là, sur la barricade, et non à la recherche d'Élise. Et puis, c'eût été dangereux : un groupe ne pénètre pas sans risque à l'intérieur de lignes occupées. À nous deux, nous avions évidemment plus de chance de passer inaperçus. Tous s'étaient rendus à ses arguments, sans broncher : mon père parlait d'or… Nous les avions quittés en échangeant des poignées de main fortes, sans phrases ni solennité.

– Ne vous dispersez pas, à bientôt, avait-il dit. À chaque carrefour, à l'angle des moindres venelles, nous nous arrêtions en risquant un regard vers la voie que nous devions emprunter, souvent obligés à de longues attentes lorsque la rue se trouvait occupée par des lignards en patrouille. Alors nous demeurions dans l'ombre de quelque porche profond, blottis l'un contre l'autre, retenant nos souffles, guettant l'éloignement de leurs pas avant de reprendre notre route.

Après un large mouvement contournant qui eût dû nous mener au Tertre par la rue Lepic, nous avions été contraints de rebrousser chemin ; les soldats versaillais y campaient, à l'abri du moulin de la Galette.

Vers minuit, remontant la rue des Saules à pas précautionneux, nous arrivâmes à la hauteur de la boulangerie où travaillait Gresle, le mitron que nous connaissions bien. La porte de la boutique était enfoncée et la devanture béait telle une bouche édentée ; le corps d'un homme barrait l'entrée. Éparpillés sur le sol comme sous le souffle d'une explosion, on distinguait les restes maculés des pains que l'on avait pillés, quelques piécettes de monnaie entre les pavés, des papiers, les fragments triangulaires de vitres brisées. Nous contournâmes avec prudence l'aire jonchée de débris en évitant les morceaux de verre qui craquaient sous les pas et abordâmes enfin la rue Saint-Rustique. Déserte, elle était noire et sinistre. Pas une lueur ne filtrait derrière les fenêtres aux volets soigneusement clos. On eût dit d'une voie morte, une ruine de village saisi par quelque paralysante catastrophe. Nous avançâmes.

Avant d'avoir atteint la grille du jardinet, en passant devant la maison de nos voisins, juste au moment où allait apparaître la nôtre, mon pied heurta un objet qui partit en roulant sur les pavés dans un tintamarre épouvantable, pareil à celui que font les casseroles que les gamins attachent à la queue des chiens errants. De saisissement nous restâmes sur place, un pied en l'air, la respiration coupée ; l'instant qui suivit fut pénible, mais rien n'avait bougé dans la ruelle et je me penchai pour tenter de retrouver l'ustensile insolite. À tâtons j'avançai sur les genoux vers le point où le bruit avait cessé brusquement. Je sentis sous mes doigts le froid d'une boîte ronde et lisse, munie d'une anse. Je l'élevai jusqu'à mon visage : c'était notre cafetière bleue... Mon père avait vu et compris en même temps que moi. En trois enjambées nous fûmes devant la maison. La porte de la salle était grande ouverte, à gauche la fenêtre pendait, arrachée. Contre la grille de la murette, sur la rue, l'énorme bouquet rouge que Louise avait cueilli le matin même était plaqué, écrasé sous l'effet d'une violente projection. Je pris la main de mon père ; nous restâmes ainsi un long moment devant la maison, à regarder le grand trou noir de la porte et celui, plus petit, que faisait la fenêtre ; la façade ressemblait au visage d'un aveugle. Nous fîmes quelques pas vers la porte comme des automates. Ni l'un ni l'autre n'osait franchir le seuil. Je crois que je me mis à trembler, non de peur mais d'affreuse appréhension.

Soudain, nous entendîmes le cri rouillé d'un volet proche, quelques maisons plus avant dans la rue. Mon père ne bougea pas, tourna seulement la tête vers le bruit, sans hâte, comme si rien ne pouvait plus arriver. La fenêtre d'un rez-de-chaussée s'était éclairée ; sous la poussée d'une main prudente, un contrevent s'entrouvrit, une barre de lumière découpa une tranche de pavés.

– Il y a quelqu'un ? murmura une voix de femme avec un naturel plutôt surprenant à pareille heure.

Mais le ton sonnait faux ; j'aurais juré que nous avions été attendus, guettés, comme si inéluctablement l'un d'entre nous devait revenir cette nuit-là. Et puis, qui aurait osé, partisan ou non de la Commune, sur un simple bruit de gamelle qu'un chat eût pu tout aussi bien provoquer, allumer une lampe, ouvrir ses volets et questionner la nuit, alors que Montmartre venait d'être, quelques heures auparavant, le théâtre d'un combat bref et sanglant, un lieu de pillages qu'on ne pouvait ignorer à deux pas de chez soi ?

Mon père resta coi ; d'une pression de la main il m'engagea au silence.

– Il y a quelqu'un ? reprit-on, plus fort.

Alors il me sembla reconnaître ce timbre particulier, la voix caquetante entendue le matin au coin de la rue de la Bonne. La barbe de mon père effleura mon oreille :

– C'est la mère Pernuche, souffla-t-il, méfions-nous… Allons-y, elle sait peut-être quelque chose.

Quand elle entendit nos pas s'approcher, la femme eut un recul, une marque légère du buste qui n'était pas de la surprise. Dans l'encadrement de la fenêtre, sa silhouette noire était violemment contrastée par la lumière de la lampe que son mari tenait derrière elle. C'était un homme sec et jaune, que j'apercevais quelquefois sur le Tertre, mais qui ne sortait guère et qu'on disait malade. De réputation, par contre, je connaissais la mère Pernuche, mauvaise langue hargneuse, redoutée des Montmartrois mais hautement appréciée des concierges à qui elle "monnayait" de fielleux racontars. Quelques-uns de nos voisins lui devaient d'imprévisibles démêlés avec leur propriétaire.

Mon père se planta devant elle, bien visible dans le jaune de la lampe.

– Oh ! mon Dieu ! fit-elle, portant à son visage ses mains maigres, c'est monsieur Clarisse !

J'étais resté dans l'ombre, immobile et invisible.

– Que s'est-il passé ? Avez-vous vu ma femme ? demanda mon père avec la voix qu'il avait eue le soir où Ducatel passa la porte pour la dernière fois.

– Je ne sais pas, monsieur Clarisse, j'étais absente depuis ce matin sept heures, de toute la journée. Mais en rentrant ce soir j'ai vu votre maison toute saccagée ; je pensais que vous saviez, depuis lundi soir que vous êtes parti avec les hommes…

Ainsi, elle n'ignorait rien de l'heure et des conditions de départ de mon père aux barricades. Puisqu'elle avait été également témoin de celui de la famille Clarisse ce matin même, il devenait évident que cette femme savait

**188**

notre maison vide au moment de l'arrivée des lignards. Alors, était-ce seulement le bouquet rouge de Louise qui avait été à l'origine de la furie versaillaise contre notre logis, le seul de la rue à avoir été pillé ? Cela me parut étrange.

– Avez-vous vu ma femme, aujourd'hui ? répéta mon père.

La commère marqua un temps avant de répondre :

– Oui… c'est-à-dire… il m'a semblé la voir… Vous savez ce que c'est, on était affolés…

– Quelle heure était-il ?

– C'était tard… dans l'après-midi… Je ne sais plus au juste…

Se pouvait-il que cette femme ne se souvienne pas des réflexions venimeuses qu'elle avait prononcées le matin même ? Pourquoi prétendait-elle maintenant n'avoir vu ma mère qu'une seule fois ?

– Elle était seule ? insista mon père.

– Oh ! non, monsieur Clarisse, pensez donc…

– Comment "pensez donc", qu'est-ce que vous voulez dire ?

– Vous fâchez pas, monsieur Clarisse, je croyais que vous étiez au courant.

– Mais au courant de quoi, enfin ? éclata mon père d'une voix que l'anxiété déformait.

– Ben, vous savez, quand les Versaillais sont entrés dans Montmartre, ils étaient complètement fous. Forcément, après ce qui s'est passé ici au mois de mars, ils cherchaient des responsables. Alors ils ont pris des gens dans la foule, dans les maisons, un peu partout, au hasard, quoi ; et votre pauvre dame s'est trouvée là…

– Et alors ? murmura le père Clarisse, s'appuyant soudain au volet.

La voix hésita encore, reprit :

– Ils ont emmené tous ces pauvres gens rue des Rosiers. Il y a eu au moins cinquante fusillés… Mais votre femme, il me semble que je l'ai reconnue au milieu de celles qu'ils emmenaient aux fortifications. C'est tout ce que je sais, monsieur Clarisse.

– Mais, ma femme, où l'avaient-ils prise, elle ?

– Chez vous, justement. Une voisine l'a vue… Ils avaient tout mis sens dessus dessous…

– Merci, dit mon père dans un souffle.

Comme il restait silencieux, la femme ne sut quelle contenance prendre devant cet homme abattu. Il fit un pas pour s'éloigner, s'arrêta :

– Encore heureux que les enfants soient partis ce matin, ajouta-t-il comme pour lui seul.

– Ah bon ! susurra la caqueteuse d'une voix faussement rassurée, je ne savais pas qu'ils étaient absents…

Alors je sortis de la nuit, pris le bras de mon père. Lorsqu'elle me reconnut, la mère Pernuche eut un haut-le-corps instinctif, violent, qui fit vaciller la lampe tenue par le vieil homme silencieux. Sans un mot j'entraînai mon père vers le fond noir de la rue Saint-Rustique. Derrière nous la lumière disparut et le volet se referma vivement, tiré par une main qui n'en menait pas large.

Arrivés devant l'église, nous nous dirigeâmes d'instinct vers un trou d'ombre ; mon père s'assit, le front dans la main, sur une borne en retrait du parvis, dans l'allée herbue qui mène au petit cimetière. Je me laissai tomber sur le sol à ses pieds, sans force, et posai ma tête sur ses genoux. Nous demeurâmes ainsi figés dans cette pose compliquée, semblables au groupe de marbres qui bordent les temples. L'herbe était fraîche et douce.

Quand je sentis sur ma nuque éclater une goutte tiède, il y avait aussi, sur l'étoffe rude de sa veste, sous ma joue, la tache ronde de mes larmes…

Se taisait la nuit, se taisaient les fusils. Il n'y avait plus, sur le Tertre abandonné, d'idées à défendre ou d'adversaires à combattre ; tout semblait fini. À quoi pouvaient servir désormais la lutte armée, l'acharnement à vivre qui animait mon père ? La famille Clarisse était déracinée…

La pierre était froide, l'herbe devint humide. Mon père ne bougeait plus, je demeurais prostré.

Je n'avais pas de haine envers ceux qui avaient enlevé ma mère ; seul me soutenait un réflexe vital, une espérance d'oubli, le besoin naïf et fragile d'images d'enfance, les souvenirs d'heures claires de la rue Saint-Rustique, où tout était bon. Ma pensée dessinait ton visage, ma mère, murmurait avec ta voix des mots que je n'entendrais plus : "… Il fait doux… du pain frais… les œillets viennent bien tard cette année…"

Plusieurs fois mon père passa ses doigts dans mes cheveux, me tint la main, retourna à son immobilité. Au-dessus de nous, le ciel nourri d'étoiles n'avait pas la couleur profonde des nuits d'hiver, parce qu'en ces mois chauds le jour ne s'efface pas tout à fait, imprègne la voûte d'un lait pâle qui dilue la teinte et souligne l'horizon d'une ligne mince plus claire. En regardant les étoiles, là où leur monde s'arrêtait en tombant sur la ville, j'y voyais s'accentuer le contraste que faisait la masse noire de Paris, piquée d'agonies d'incendies, avec cette rassurante limpidité du ciel.

Mon père se tournait un peu, entraînait dans son mouvement le pan de veste sur lequel reposait ma tête, et je devais m'appuyer chaque fois sur un coin plus froid, une place de tissu déjà touchée par la rosée.

Je ne savais pas pourquoi nous restions ainsi, avec la fraîcheur qui s'installait, la posture incommode qui nous engourdissait, l'insécurité de la situation, mais je ne faisais rien pour m'en arracher…

Je dus m'assoupir un long moment. Est-ce le rêve de ma mère ou bien cette sèche fusillade qui m'éveilla ? Je cherchai des yeux, pour me rassurer, le petit panache gris qui aurait pu situer l'emplacement du combat qui reprenait ; je ne vis rien. Je pensais, pensais, pensais à toi, pour que la force de mon imagination infléchisse ton destin, t'avertisse de ma présence, te dise mon amour et mon espoir. Je puisais dans l'image tant aimée le courage de n'être plus un enfant, l'énergie nécessaire pour m'élancer vers mon devenir d'homme, la volonté de te retrouver ou de te continuer.

Mon père aussi avait relevé la tête.

– Regarde…

Il avait mis, dans ce seul mot, une intonation passionnée.

Encore noyé de nuit, le lointain s'était pourtant modifié rapidement devant nous, sans qu'on eût pu dire à quel instant précis s'était opérée la métamorphose. Sur les Buttes-Chaumont, à l'est, la cime des grands arbres avait frémi, prenait une teinte transparente d'eau pure, vert et bleu ; en quelques minutes, le ciel entre la pointe des clochers vira de l'outremer à l'azur, on vit se dessiner les contours imparfaits de la ville fière qui ne voulait pas mourir. Des hauteurs de Belleville encore sombres un flocon blanc s'épanouit, monta audessus des toits ; et en même temps que nous parvenait le coup sourd du canon, le jour se leva. L'une après l'autre, les lignes des rues se dessinèrent, croisèrent leurs pentes, éclairèrent leurs contours. Il y avait, bordant Ménilmontant à gauche, l'écran blanc des carrières de gypse où flottait le drapeau fédéré, plus bas la toison moutonneuse et désordonnée des arbres sortant de la nuit majestueusement, dans une clarté d'un émeraude étonnant qui tranchait sur le gris pauvre des bâtisses. En tous points l'aube gagnait, allumait des feux de couleurs, rejetait les ombres, bousculait les voiles de nuit qui s'arrachaient par pans à mesure que montaient les lumières du matin.

Pour la première fois je contemplais Paris à l'aurore et ce spectacle prenait une dimension inattendue, la valeur d'un message. Ce jour naissant était un peu moi, grandi par l'épreuve, vivant par ces couleurs, armé d'un courage nouveau et chassant du même coup la nuit de mon enfance.

Nous étions debout face au soleil déformé, les paupières à demi fermées clignant dans la lumière, à sentir sur nous sa chaleur nous baigner. La main posée sur mon épaule, mon père s'appuyait sur moi ; la nuit douloureuse que nous avions vécue l'avait vieilli.

– Allons, dit-il enfin, viens. Pour elle, pour eux, il faut encore se battre…

## 14

## ... "TON PÈRE QUI T'AIME..."

Des derniers moments de Paris me restent des images d'adolescent mûri. À ce titre je les crois moins fraîches et peut-être marquées d'une dureté chez moi inhabituelle, sans pour autant qu'elles s'en trouvent déformées, mais seulement plus sèches et plus âpres souvent. J'ai vécu l'agonie de la Commune de Paris au coude à coude avec les hommes, les femmes, les enfants qui défendirent de toutes leurs forces ce premier gouvernement du Peuple avec une énergie à nulle autre comparable. Si je voulais mieux faire connaître la tuerie monstrueuse que fut ce que plus tard on appela la Semaine sanglante, sans doute me suffirait-il de citer quelques chiffres, dire le nombre des morts dans le combat des rues, celui des fusillés au hasard ou sur dénonciation, la cohorte lamentable des déportés de tous âges et de toutes opinions, y compris, bien entendu, ceux qui n'avaient jamais participé à l'action révolutionnaire, et que l'on parqua tous comme des bêtes, à Versailles ou ailleurs.

Mais les chiffres sont glacés, ne touchent pas l'imagination lorsqu'ils dénombrent les hommes, ne parlent pas au cœur et peu à la raison ; alors, à quoi bon…

La répression de Thiers fut impitoyable. Le mot est faible : absence de pitié ne signifie pas pour autant cruauté ; mieux vaudrait dire qu'elle fut démente. Avec un acharnement ignoble, visiblement prémédité, les troupes versaillaises tuèrent, tuèrent, tuèrent encore, jusqu'à l'épuisement d'elles-mêmes, jusqu'à l'écœurement du geste. J'ai assisté à des scènes affreuses et ne peux les rapporter ici : les détailler serait morbide. Ce n'est pas refus de témoigner mais vertige. Ce n'est point non plus crainte d'effrayer mais pudeur : les morts de la Commune sont beaux, laissons sur l'instant de leurs morts un silence recueilli. Ils en sortiront grandis…

Mon père, l'ai-je assez dit, était bon ; mon enfance fut construite à l'image de sa sagesse et de sa force. Pourtant il eut des moments, intenses et brefs, où sa violence se trouva justifiée par une juste colère, mais il m'épargna toujours la vision de la rage et de l'exaspération et je lui dois aussi de m'avoir fait connaître les réalités de la vie en me traitant en homme. Si elle avait été présente au cours de ces épreuves, ma mère eût fait de même : l'oncle Guillaume nous racontait qu'en 1848 elle tint le fusil, rue de Rivoli, sur les barricades. Je sais son courage et je suis certain que si le destin lui avait donné à choisir entre la mort dans la rue, à nos côtés, et l'affreuse captivité qui l'attendait, elle eût sans hésité opté pour le combat. La lâche dénonciation dont elle fut la victime ne le lui permit pas... Lorsqu'au petit jour du mercredi 24 mai nous redescendîmes des hauteurs de Montmartre nous n'avions, mon père et moi, pas d'autre but que celui de rejoindre au plus vite ses compagnons, sur la barricade de la rue Stephenson. En chemin je lui appris la mystérieuse disparition d'Émile. Le père Clarisse n'en parut pas surpris ; après être resté quelques instants pensif, il me confia qu'à plusieurs reprises Émile s'était enquis auprès de lui des conditions nécessaires à son enrôlement dans le corps des "Pupilles de la Commune" : selon lui, à n'en pas douter, c'était là que nous le retrouverions. L'avance de l'armée versaillaise obligea les fédérés à se replier, durant les jours qui suivirent, sur les quartiers situés à l'est de Paris, à s'acculer dans les arrondissements proches des fortifications gardées par les Prussiens. Ce serait naïveté de croire à la neutralité de ceux-ci ; ils formèrent bel et bien un mur infranchissable aux défenseurs de la Commune. La souricière était bien tendue : Paris mourut par étouffement. Les journées des jeudi, vendredi et samedi furent mises à profit par Versailles pour parfaire l'encerclement de la capitale, si bien que c'est dans l'étroit quadrillage d'un obscur lacis de ruelles, au pied de Ménilmontant, qu'eut lieu le dernier soubresaut de la généreuse révolution qui avait tenu Paris dans ses mains, soixante-douze jours durant. Cette triste destinée ne doit rien faire oublier de ce qui en fit la grandeur et si j'ai vu mourir obscurément ses derniers défenseurs anonymes, la Commune n'en fut pas moins le grand moment de tout un peuple dressé, droit et fort, qui servira d'exemple. .

La barricade de la rue Stephenson était tombée aux premières heures du jour : nous arrivions trop tard. Coupé des combattants de la Commune, mon père jugea plus sage de passer chez l'oncle Guillaume. Louise et Stéphane nous y attendaient, en proie à une sombre inquiétude. Si nous pûmes, sans trop de crainte et d'émotion, annoncer à ma sœur la disparition de ma mère en ménageant, au récit remanié de la mère Pernuche, une lueur d'espoir à laquelle nous ne croyions ni l'un ni l'autre, nous n'eûmes pas la force d'avouer à Stéphane la déchirante vérité. J'ai oublié quel invraisemblable raison fut avancée pour tenter d'expliquer l'absence d'Élise, mais il me semble qu'elle fut maladroite car je n'ai pas souvenir d'un Stéphane rassuré par nos explications troublées. Il nous regarda l'un et l'autre sans mot dire, puis alla s'asseoir près de la fenêtre, le nez collé à la vitre, sans avoir desserré les dents. Notre louable intention fut mal interprétée. Je ne sais si Stéphane nous garda rancune de notre silence, mais son attitude changea. De rêveur, il devint agressif, en quelques jours, tout comme s'il nous rendait responsables du vide qui s'ouvrait sous ses pieds. Malgré l'affectueuse présence de Louise, qui remplaça notre mère avec un courage, une volonté et une tendresse dignes d'elle, mon jeune frère fut profondément marqué par cet abandon pour lui inexplicable et à jamais injustifié. Pour ma part, décidé à serrer les poings, je tins bon devant tous ; nul ne sut jamais mes larmes cachées ; c'est mieux ainsi... C'est au soir du jeudi que mon père retrouva ses compagnons montmartrois. Ils s'étaient regroupés dans les combats furieux qui eurent pour cadre la place du Château-d'Eau*, considérée comme une redoute contre l'envahissement vers l'est ; elle tomba comme toutes les autres après des heures de fusillades hargneuses, de canonnades assourdissantes, au prix de morts glorieuses aussi belles que désespérées**. Il n'est point de lâchetés dans un peuple qui meurt ; la résistance, l'acharnement des fédérés à survivre dans leurs derniers îlots, prouvent assez bien quelle foi les tenait. De pompeux imbéciles ont écrit à ce sujet des contre-vérités dont les arguments sont si pauvres que leur plume est trempée d'un fiel qui n'a d'excuse que la bêtise. Tous ces hommes, ces femmes, tous ces enfants, je dis bien tous, tous ceux qui combattirent aux côtés de mon père, de Louise et de moi-même sur les barricades, avaient des visages d'hommes, de femmes, d'enfants, dont la fierté grave m'impressionna ; dans leurs peurs comme dans leurs héroïsmes, le Peuple entier vivait...

* Aujourd'hui place de la République, vaste carrefour des 3ᵉ, 10ᵉ et 11ᵉ arrondissements.
** Charles Delescluze, vieil et ardent révolutionnaire, y vint mourir seul ou presque et sans arme, en chapeau haut-de-forme et redingote, le jeudi 25 mai, en montant sur la barricade qui fermait le boulevard Voltaire : il tomba aussitôt foudroyé.

Les abords de la place étaient intenables. Aussi mal barricadée que bien défendue, l'aire s'entourait d'une multitude de minces fortifications hâtivement improvisées, fermant les trouées des huit avenues qui l'étoilaient. L'attaque versaillaise s'approchait dangereusement, les lignards tenaient déjà plusieurs rues avoisinantes tombées peut-être faute d'une défense efficace et organisée, et menaçaient la caserne, au bas du boulevard Magenta, en tentant de la tourner par une petite rue dont le nom m'échappe. C'est au débouché d'une voie parallèle au Faubourg-du-Temple que je me trouvais, avec mon père et Louise, lorsque les soldats se lancèrent à l'assaut de la barricade qui fermait l'entrée de la petite rue. Nous étions entourés des éclatements mats et secs des chassepots, de la folie crépitante des mitrailleuses, lâchant toute leur mort d'un seul coup à intervalles réguliers, au milieu de l'âcre fumée qui montait de la place, mêlée des retombées voltigeantes que l'incendie de deux maisons d'angle faisait pleuvoir sur nous. Nos gorges étaient sèches comme des silex.

Ce n'est point par hasard que nous nous étions portés en ce lieu de combat ; mon père avait compris qu'il devenait impératif de rassembler autour de lui les membres de la famille Clarisse pour ne pas risquer, une nouvelle fois, le départ sans retour de l'un d'entre nous. À ses yeux, Émile aussi était un égaré qu'il fallait retrouver, et la caserne du Château-d'Eau, où se trouvaient les Pupilles de la Commune, pouvait bien être le seul endroit où celui-ci se

serait réfugié après sa fuite de la rue Saint-Rustique. Et nous n'avions que cet espoir…
Courbé en deux, le chassepot à la main, mon
père longeait la façade du grand magasin de
bonneterie du Château-d'Eau. Je le suivais par
bonds, portant le sac de cartouches, talonné
par Louise que sa robe entravait, lorsqu'une
fusillade éclata derrière la caserne des Pupilles.
Le père Clarisse s'arrêta net, s'accroupit en
prenant appui sur son fusil, puis sans se
retourner nous fit de la main un signe de prudence. Il s'avérait périlleux de franchir l'espace
qui nous séparait de la caserne ; de la rue Turbigo, de l'autre côté de la place, les lignards
tiraient sans discontinuer et leurs balles rico-
chaient très haut contre le lourd bâtiment
sombre en ouvrant sur les murs des fleurs
blanches de pierre pulvérisée. Un léger rempart de pavés protégeait toutefois le passage et
nous nous y engageâmes en rampant. Dans
l'assourdissant carrousel des coups de feu,
j'entendais derrière moi le bruit que faisait, en
raclant les graviers, la boîte à pansements que
traînait Louise et je ne pensais qu'à lui : sa
persistance m'assurait qu'elle n'était pas touchée… Une fois passée la rue du Faubourg-du-
Temple, il me sembla que tout allait mieux ;
Louise vint s'asseoir contre le mur piqué de la
caserne, un peu haletante, sous les arbres blessés dont les branches brisées pendaient au-
dessus de nous comme des bras cassés de
poupées. Son visage avait la couleur de la pierre.
Nous n'avions pas encore repris notre calme
que mon père se levait déjà…

La barricade que nous allions défendre avait été construite en forme de V très ouvert à une extrémité de la place du Château-d'Eau. Elle s'épaulait, à gauche, sur les maisons du boulevard Magenta qu'elle fermait complètement jusqu'à l'angle de la caserne des Pupilles, à droite ; de là, elle formait un coude brusque à partir de cet angle pour barrer l'entrée de la ruelle qui longeait le bâtiment militaire. Cette construction singulière interdisait donc aux fédérés de la place du Château-d'Eau de porter aisément secours à ceux de la petite rue, car il eût été fou de l'escalader, de descendre sur le boulevard sous les balles, pour remonter ensuite sur le petit rempart : les lignards comptaient bien là-dessus pour mieux isoler les défenseurs de la ruelle de leurs compagnons d'armes, chargés de soutenir la position du Château-d'Eau.

La subite attaque lancée par les Versaillais avait fait voler en lanières le drapeau rouge qui flottait au faîte des pavés mais les fédérés, éreintés et suants, trébuchant de fatigue et de mauvais sommeil, étonnants de courage, sans chefs ou presque, tenaient bon. Mon père s'était jeté à un créneau ; il pointait posément, tirait sans hésitation et je lui glissais aussitôt une autre cartouche. Sa main se tendait dans ma direction, aveugle et mécanique, reprenait une autre charge, bloquait la culasse du chassepot dans un cliquetis compliqué et gras, rassurant et tranquille ; le coup partait et je voyais revenir la paume vide, noircie de poudre, ferme et sûre, qui ne tremblait pas. J'y replaçais une autre cartouche : c'était une sorte de jeu muet, à la fois sombre et fort. Louise courait d'un bord à l'autre de la barricade ; la croix rouge de Genève tranchait sur sa robe grise, faisait d'elle une cible parfaite…

Soudain, mon père cessa de tirer, se laissa glisser au bas des pavés :

– Pascal… Viens voir !

Il y avait du sourire sous sa moustache ; je me hissai avec précaution jusqu'au bord de la brèche et suivis des yeux la ligne qu'il m'indiquait de l'index, sur notre droite.

Au sommet de la barricade de la ruelle, à trente pas, la crête s'égrenait des têtes jeunes, coiffées de calots bleus, des Pupilles de la Commune. Il y en avait une qui attirait aussitôt le regard : elle était rousse…

Je regardai mon père, qui cligna de l'œil.

– On va le chercher ?

J'eus un réflexe craintif, hésitant, malgré la joie ressentie.

– On ne peut pas passer le boulevard, on se ferait tuer…

Mon père ramassa son chassepot, chercha Louise des yeux. L'apercevant près de la caserne, penchée sur un brancard, il me prit le bras, m'entraîna sans un mot.

L'homme qu'elle entourait de ses soins allait mourir et le savait. La bouche, ouverte sur une barbe grise de poussière, haletait faiblement, mais c'était une bouche qui riait presque et qui parlait encore :

– Vive la Commune, les camarades, vive la Commune… vous direz à ma Berthe que je ne suis pas mort en lâche... Hein, vous lui direz, à ma Berthe... Tu lui diras, toi, ma jolie blonde, que son homme c'était pas un lâche, hein, mon petit cœur, tu lui diras...

Et il gloussait en parlant parce que sa blessure, que l'on ne voyait pas, devait lui tirer la gorge et les chairs et la voix, comme une morsure furieuse. Il répéta, tourné vers Louise, les doigts tendus vers sa joue pour une dernière caresse à la vie :

– Hein, mon petit cœur, tu lui diras...

Ma sœur, d'une main douce et fragile, écarta sur le front du mourant les mèches sombres que la sueur collait.

– C'est promis, tais-toi, tu te fatigues...

Alors le malheureux saisit avidement la main de Louise, la porta à ses lèvres, ferma les yeux, battit encore une fois des paupières et mourut en emportant la blonde image d'une inconnue...

Des cris retentirent derrière nous ; sur la barricade que nous venions de quitter, les fédérés appelaient à pleins poumons :

– Du renfort ! Des hommes ! Vite ! Ils amènent des canons !

Mon père devina ma pensée.

– Non, dit-il, nous le rejoindrons plus tard, pour le moment faut les aider. Allez ! Viens !

Et il courut aux créneaux.

Bien protégé par les tôles de blindage des quatre pièces qu'il roulait devant lui, un peloton de Versaillais, conduit par un caporal, s'était enhardi, poussait l'attaque en direction de la caserne, descendait le boulevard sans cesser de nous faire face ; il devenait difficile de les atteindre sans s'exposer inutilement, d'autant que leur avance se trouvait couverte par les salves des lignards restés à l'arrière, à l'abri des arbres et des porches. Mon attention était sans cesse retenue par la crête de la barricade de la ruelle où je guettais l'apparition de la tignasse rousse ; par instants elle passait dans le jour finissant, flamboyante comme le coucher du soleil.

La situation aurait pu être encore sauvée facilement ; il eût suffi de mettre en batterie une ou deux des pièces de 7 inutilisées du boulevard Voltaire, de prendre en enfilade le boulevard Magenta devant nous, pour arrêter net les lignards. Mais cela exigeait de traverser d'abord l'immense rectangle de la place du Château-d'Eau sous un autre feu versaillais, celui de la rue Turbigo, en poussant nos canons jusqu'à notre barricade : c'était un suicide, un exploit de raison inutile.

Les fédérés tiraient sans relâche, au jugé, sans grand effet. À moins d'une portée de pierre, les Versaillais disposèrent leur artillerie face aux deux barricades et il n'y avait plus grand-chose à faire qu'à attendre l'inévitable émiettement de nos remparts, le retarder le plus longtemps possible pour permettre l'évacuation des blessés et des morts, le regroupement de nos forces.

C'est alors que je vis, sur la barricade de la ruelle, le drapeau rouge qui s'élevait, soutenu par un bras encore invisible. Le feu des Pupilles devint plus dense, comme joyeux, repris d'un

enthousiasme hurlé par vingt jeunes poitrines.
Comme mon père se tournait vers eux, le rire
aux dents, la tête rousse apparut entre deux
merlons de pavés ; n'y tenant plus, je criai à
pleine voix :

– Émile ! Émile ! On est là, Émile !

Surpris il chercha des yeux, dans la fumée et
les chaos de notre barricade, le point d'où sortait l'appel ; il se haussa en appui sur la hampe
du drapeau rouge jusqu'à se découvrir dangereusement, sans nous apercevoir.

– Non ! Émile ! Baisse-toi, Émile ! cria mon père.
Mais cette fois notre ami avait retrouvé une
voix familière, fouillait du regard, désespéré-
ment, la ligne brisée du rempart que fouet-
taient les balles ; au hasard, il lança :

– Père Clarisse ! Où êtes-vous ? Je ne vous vois
pas !

Et nous le vîmes, atterrés, impuissants, se dres-
ser comme un archange debout sur la barricade, le drapeau dans les bras. Il nous vit enfin,
fit un grand signe de reconnaissance.

Au même instant, le caporal qui commandait
le petit détachement versaillais, saisissant son
fusil, donnait un ordre bref, épaulait avant ses
hommes vers cette cible parfaite. Mon père
agrippa son chassepot d'un geste brutal, farou-
che, et ajusta le gradé... De tout ce qui me restait de forces je hurlai :

– Attention ! Émile ! Attention !

Il s'était retourné d'un seul coup vers les
lignards, fixait le caporal comme frappé d'une
indicible terreur. Et puis soudain :

– Non ! Papa ! Non ! hurla-t-il à son tour.

J'entendis à la fois la salve versaillaise et le coup de chassepot de mon père. Un grand cri de douleur partit de la barricade ; Émile tomba en arrière, les bras battant l'air ; le drapeau s'éploya sur lui lentement, majestueusement, si tendrement eût-on dit qu'il paraissait tenu par des mains invisibles. Le caporal avait lâché son fusil, s'écroulait sur les genoux ; il eut encore un ultime sursaut pour s'accrocher à la roue d'un canon, ses bras glissèrent sur le bandage d'acier, ne s'y retinrent pas : il roula au sol en perdant sa casquette. Un moment de désarroi avait saisi les lignards ; les fédérés comprirent que l'instant était favorable pour reprendre l'avantage et déchargèrent furieusement leurs armes sur la débandade qui suivit la mort du caporal. Mon père se retourna : il était blême...

– Qu'est-ce que j'ai fait ? Mais qu'est-ce que j'ai fait ? murmura-t-il.

Il n'avait pas posé son fusil, regardait le canon fumant, hébété ; la main sur les yeux il parut chasser une vision en secouant la tête à petits coups rapides, reposa son bras sur sa cuisse, me vit enfin.

– Tu as compris ? dit-il d'une voix très douce et rauque.

Je fis oui de la tête et lui pris le bras. Alors il se redressa, saisit à nouveau le chassepot d'une main ferme, fit jouer la culasse ; il mit dans sa poche la douille qui en tomba et nous courûmes jusqu'à Louise...

Il faisait nuit lorsque nous arrivâmes rue de la Roquette. Les Pupilles qui portaient le brancard où Émile était étendu trébuchaient à chaque pas sur les pavés des rues dévastées, s'arrêtaient souvent, changeaient les porteurs, repartaient en silence. Nous marchions à leur rythme, à pas lents de somnambules, par les voies les plus rapides, le boulevard Voltaire, la rue Popincourt, la rue Sedaine, dans ce 11e arrondissement où la Commune tenait encore ses assises à la mairie, près de la statue ricanante du vieux philosophe*. En passant devant Saint-Ambroise, sur le boulevard, le souvenir de ma première rencontre avec Émile me revint pareil à une bouffée d'air pur, un peu de quelque chose de doux qui remontait, et je pris sa main qui pendait sous la veste de garde national dont nous l'avions recouvert : elle me parut très froide. Le ciel était allumé, comme pour une fête, d'énormes incendies. On se battait partout à la fois, les barricades tombaient quelque part, se relevaient là-bas, soutenant dix assauts ; de sporadique et clairsemée, la bataille s'était faite plus dense et continue. Mon père ouvrait la marche, les épaules courbées, enfermé de silence. Sous le porche de l'immeuble qu'habitait l'oncle Guillaume, des fédérés dormaient à même le sol ; les Pupilles posèrent au pied de l'escalier leur charge délicate.

– Vous avez un médecin ? demanda l'un d'eux. Mon père fit signe que oui. On alla le chercher, on approcha des lampes. Je montai prévenir

* *Le buste de Voltaire.*

Guillaume qui descendit avec des couvertures
et un flacon d'alcool. Le médecin était déjà là.
– Pas de ça, fit-il, ça le tuerait.
Il écarta la veste. Sur la chemise claire d'Émile,
en pleine poitrine, s'ouvrait un soleil rouge.
Louise cacha ses yeux, gémit doucement. Je
me détournai. Le médecin s'agenouilla près
du brancard, fouilla sa trousse. J'entendis des
ciseaux couper la toile.
– Qu'est-ce que c'est que ça ? dit-il.
Je me retournai. Il me tendit une enveloppe
carrée barbouillée de sang, que je reconnus
tout de suite. Elle avait été comme épinglé par
la balle sur la poitrine du blessé. Le trou me
parut minuscule et insignifiant. Des yeux je
cherchai mon père. Il rencontra mon regard,
fit seulement oui de la tête. Alors je dépliai
l'enveloppe ; elle contenait un unique feuillet
écrit d'une main adroite et fine, un peu féminine. La déchirure et le sang brouillaient une
partie du texte, mais l'essentiel était lisible...

*Guéret 22 mars 1871*

*Mon cher Émile,*

*Comme je te l'ai annoncé dans ma dernière lettre,
j'ai poursuivi les démarches auprès des bureaux
de recrutement pour m'enrôler dans l'infanterie de
ligne. C'est maintenant chose faite et je dois bientôt partir pour Satory, près de Versailles, où nous
serons casernés, en attendant de remettre de l'ordre
dans Paris. Compte tenu de mon instruction, j'ai*

été nommé immédiatement caporal, et ma solde sera plus avantageuse que le salaire que je touchais aux papeteries des Moulins d'Auvergne. M. et Mme Lellouche, nos bons voisins, m'ont écrit tout récemment pour me dire que tu habitais désormais chez des gens qui logent à Montmartre, c'est pourquoi je t'écris à ta nouvelle adresse. Montmartre m'a rappelé les promenades que nous faisions autrefois, ta pauvre mère et moi, quand nous étions jeunes. Je n'ai pas très bien compris les raisons de ton changement et je compte sur toi pour me donner un peu plus de renseignements sur ta nouvelle vie. M. et Mme Lellouche m'ont apporté bien des précisions sur ce qui se passe dans Paris et je suis inquiet de la tournure des événements, mais je ne sais pas tout, bien sûr, et je suis heureux que nos officiers se chargent de nous éclairer sur le sens de l'insurrection qui vient d'éclater.

Je souhaite que tu m'écrives vite, mon cher Émile, pour me faire le portrait de tes nouveaux amis. Je voudrais bien savoir qui ils sont, ce qu'ils font dans la vie, les journaux qu'ils lisent, en un mot, leur façon de vivre. Si tu me donnes sur eux suffisamment de renseignements, je saurai te guider pour t'éviter peut-être des désappointements.

Je t'ai joint une carte en papier "à la forme", comme celles que je faisais avant d'être soldat. J'espère qu'elle te plaira. C'est moi qui ai choisi et imprimé le motif. Garde-la soigneusement, c'est un souvenir de ton père qui t'aime et t'embrasse très affectueusement.

Henri
Caporal Henri Combes, 132ᵉ de ligne.
Secteur postal 109.

Debout derrière moi, Louise lisait la lettre, les mains posées sur mes épaules. Ses doigts tremblèrent soudain très fort ; elle prit la feuille maculée, la porta à mon père. Il fit un visible effort pour la saisir, la replia soigneusement, la glissa dans l'enveloppe sans y avoir jeté les yeux :

– Non, dit-il, pas maintenant... J'en sais assez...

## 15

## ... TOI, JE TE CHANTERAIS,
## SI J'EN AVAIS LE CŒUR...

Ainsi qu'il en est toujours sous les grandes batailles, la canonnade, ininterrompue depuis cinq jours, chassa le soleil, provoqua l'averse dès l'aube du vendredi. Le combat reprit en mêlant à la fumée des salves et des coups de canons la brume traînante d'un brouillard lourd, poisseux, transperçant et tenace. Les fédérés, épuisés, trempés de sueur et de pluie, tiraient au hasard sans viser vers les panaches d'éclatements que l'on distinguait au bout de la rue de la Roquette, devant la barricade qui obstruait l'entrée du faubourg Saint-Antoine. Nous ne savions plus à quoi se réduisaient nos forces, ce qui restait debout ou pour mieux dire vivant, où se situaient les limites du périmètre dans lequel nous étions enfermés.

Je me souviens qu'au matin de ce jour-là, j'eus la conviction que nous allions tous mourir dans cette lumière grise parce que c'était inéluctable ou parce qu'il le fallait, réduits que nous étions à recevoir les coups et ne plus en donner ; j'attendais sans penser.

Le médecin avait torturé Émile une grande partie de la nuit pour extraire la balle qui trouait son poumon. Mon père recueillit la meurtrière grenaille. Au petit matin, lorsque les fédérés sortirent du porche où s'engouffrait la pluie, pitoyables silhouettes harassées, pour s'en aller peut-être se faire tuer devant la colonne de Juillet*, Émile ouvrit les yeux. Louise, qui n'avait pas cessé de guetter cet instant, s'approcha, passa sur les lèvres séchées un linge trempé d'eau fraîche. Un bandage serré, bosselé de la bourre qui comprimait la plaie, enveloppait la poitrine du blessé ; il y passa le bout de ses doigts, l'explora délicatement comme on fait d'une chose inconnue et fragile, abandonna sa main sur le pansement râpeux, puis vers nous tendit ses yeux bleus. Il me regarda longtemps sans ciller, triste, quitta mon visage, examina les murs, l'ouverture béante qui donnait sur la rue et vers laquelle il était tourné, puis le raide escalier qui montait aux étages, l'oncle Guillaume enfin, fumant sa pipe adossé à la rampe, les fesses bien calées sur un tabouret de paille.

– Va chercher papa, souffla Louise.

Mon père descendit sans hâte, d'un pas un peu lourd ; il avait quitté sa cotte noire, passé des vêtements propres un peu étroits pour lui. Émile leva les yeux en entendant son pas.

– Ma lettre… murmura-t-il.

* *La colonne de Juillet se dresse place de la Bastille. Elle fut élevée à la mémoire des Parisiens tués lors des journées révolutionnaires de juillet 1830.*

– Je crois, dit le médecin, que nous pourrions essayer de le monter, maintenant qu'il est éveillé.

Prenant mille précautions, nous hissâmes le blessé à l'étage. L'exiguïté des passages rendit pénible cette ascension ; sur le palier, la mâchoire crispée, Émile perdit à nouveau connaissance. Nous le portâmes, disloqué et pesant, sur le lit de l'oncle Guillaume. Stéphane, à qui nous avions interdit de descendre, vit passer le corps sans comprendre. Il se réfugia dans la robe de Louise, n'osant s'approcher.

– Il a mal, Émile ? demanda-t-il tout bas.

– Oui, mon chéri, très mal. Il ne faut pas faire de bruit, il ne faut pas le fatiguer.

– C'est la guerre qui lui a fait ça ? reprit-il en levant vers Louise un visage inquiet.

– Non, grogna mon père, c'est Thiers !

Ma sœur le regarda, étonnée ; il eut un geste vague – oui, je sais, il ne peut pas comprendre – mais n'ajouta rien. Je le sentis amer et dur. Louise aussi, sans doute. Lorsqu'il eut tourné le dos elle mit un doigt sur ses lèvres...

Un peu plus tard, dans l'après-midi, Émile appela doucement ; j'accourus. Il faisait très noir dans la chambre et je ne vis que la large tache blanche du pansement déjà piquée de sombre au centre, et sur la tablette près du lit, l'enveloppe carrée maculée...

– C'est Pascal ?

– Oui, c'est moi. Tu as soif ? Tu veux quelque chose ?

Je pris sa main trempée de sueur, brûlante.

– Ouvre les rideaux, dit Émile, j'étouffe.

Je tirai l'épais tissu qui masquait la fenêtre. Le jour gris, maussade, le surprit.

– Plus de soleil… Quel jour est-ce ?

– Vendredi. C'est hier que tu as été blessé.

– Tu étais là, reprit-il, tu as vu, toi ?

Je sentis la panique me saisir. Sans mon père, seul en face d'Émile, je ne savais plus quoi dire et j'attendais le moment où il me faudrait mentir, sans rougir, sans faire trembler ma voix. Je me raclai la gorge, me mouchai pour gagner du temps.

– Oui… J'étais là… sur l'autre barricade, tu sais, face au boulevard Magenta, et quand ils sont arrivés…

J'étais prêt à me lancer dans une discussion inutile pour détourner l'idée, ne pas me trahir, éviter ses questions. Mais il me coupa aussitôt.

– Tu sais qui c'était, le caporal ?

Voilà, il y venait inévitablement.

– Tu as crié avant de tomber, tu as crié : papa !

– Moi ? J'ai crié ? sursauta Émile, les yeux agrandis de stupéfaction.

J'aurais donné dix ans pour être ailleurs, ne pas avoir prononcé cette phrase, dévoilé cette vérité. Mais comment aurais-je pu savoir qu'il avait oublié ce cri désespéré, témoin de l'incroyable rencontre ?

– Oui, tu as crié… Je crois…

– Comment ? tu crois… ?

– Tu sais, tout a été si vite ; maintenant je ne me souviens plus très bien…

Il y eut un silence.

– Et… le caporal, reprit Émile, très bas, dans

216

un chuchotement, c'était mon père. Je l'ai reconnu, j'en suis certain.

– Tu en es vraiment certain ?

Je ne sais plus pourquoi j'insistai tant, mais j'eus l'idée d'un mensonge énorme...

– Ça m'étonne, tout de même, puisque ton père est en Auvergne...

– Non, dit Émile, depuis fin mars il est lignard, à Versailles. Il me l'a écrit, tu comprends ?

Je regardai la lettre, fis oui de la tête, heureux que la faible clarté du jour ne lui permît pas de deviner ma rougeur.

– Mais, demanda encore Émile – et mon calvaire recommença –, quand je suis tombé, qu'a-t-il fait ?

Je pris ma respiration, décidé au tout pour le tout.

– Le caporal ? Il ne t'a même pas vu tomber. Il a rassemblé les hommes autour de lui. Il se sont battus comme des lions... Le caporal, c'était un...

– Pourquoi : c'était... ?

– Non, je veux dire, hier, c'était un brave, un vrai brave...

Sa tête roula sur l'oreiller. Et de ses yeux coulèrent deux larmes...

– Ah ! fit Émile, un brave...

La brève incursion à l'intérieur de Paris reconquis, que nous avions pu faire, mon père et moi, dans la nuit du mardi pour tenter de retrouver ma mère, ne nous avait pas permis de connaître ni même d'entrevoir l'étendue de la tuerie qui se perpétrait derrière la ligne de feu. Les informations partielles recueillies à partir du mercredi passèrent, sinon pour des mensonges, du moins pour des exagérations difficilement crédibles. Ce que Louise rapporta fit tomber les doutes. Pour mieux dire, cette aveugle et généreuse croyance à laquelle nous nous accrochions et selon laquelle les lignards devaient se comporter en soldats vainqueurs mais magnanimes s'effaça en livrant l'implacable vérité. J'ai dit la pudeur – elle peut faire sourire – qui m'interdit de décrire et d'en débattre ; mais là où le silence, seulement le silence, se ferait complicité des crimes versaillais, il est impossible de se taire. Alors il faut crier les prisonniers massacrés par milliers, les blessés achevés, égorgés jusque dans les ambulances, tous ceux qui moururent en tas dans les rues et les cours par la seule hargne cruelle et démentielle d'officiers éperdus de haine. Lorsque les fédérés apprirent ces horreurs il y eut des moments de révolte, des sursauts de violence, un réel et bien explicable besoin de vengeance devant tant de crimes inqualifiables…

L'oncle Guillaume remonta en soufflant son raide escalier vers quatre heures du soir, en soutenant Louise, blanche comme une morte. Elle s'affala sur une chaise contre la table, se prit la tête dans les mains, laissant couler sur ses bras l'eau blonde de ses cheveux.

– Il ne faut pas laisser faire cela, dit-elle sourdement, ils veulent les tuer, j'en suis sûre, ils vont les tuer !

Je passai un bras sur ses épaules, m'accroupis près d'elle.

– Ma pauvre petite, dit Guillaume, que veux-tu faire ? Sois raisonnable, Louison, ce n'est pas toi qui empêcheras quoi que ce soit…

Je levai sur mon oncle un regard interrogatif.

– Mais enfin, que se passe-t-il ?

– Les fédérés viennent de faire sortir des prisonniers de la prison de la Roquette, là, juste au bout de la rue, tu sais, près du boulevard. Il y a un peu de tout, des gendarmes, des curés, quelques civils, enfin des gens qui ont été arrêtés au début, au 18 mars ou juste après. Maintenant que tout le monde sait que Versailles ne fait pas de prisonniers et tue les nôtres sans rime ni raison, il fallait bien s'attendre à cette riposte-là…

– Mais, s'exclama Louise en relevant le front, les yeux violents, ce n'est pas une raison ! Ce n'est pas parce que Thiers est un assassin qu'il faut tuer les bourreaux ! Ils ne savent pas, ceux-là, ils ne savent pas !…

– Et celle qui a dénoncé ta mère aux lignards, lança l'oncle Guillaume à la limite de la colère, tu crois que je l'épargnerais si elle me tombait sous la patte !

La justesse féroce de l'argument frappa Louise. Elle murmura, la voix cassée :

– Oh ! Oh ! ce sang, tout ce sang… Maman, maman…

J'entendis derrière nous le léger trottement de Stéphane.

– Elle est revenue, maman ? demanda-t-il, les yeux ronds, le sourire tendre aux lèvres.

Pas un de nous n'osa répondre ; il y a des lâchetés qu'il faut bien pardonner...

Mon père entra à cet instant, immense, rigide, résolu. Une fusillade, tout près de nous, monta de la rue.

– Il ne faut pas rester ici, dit-il, Belleville est sous les obus...

– Mais, dit Guillaume, les enfants...

– Reste ici avec Stéphane et Émile. Ne bouge surtout pas, ne descends pas dans la rue ; si tu étais pris, les lignards ne chercheraient pas à savoir qui tu es, ils t'abattraient comme les autres, comme tous les autres. La rue est occupée, il faut que nous sortions du quartier sans être vus, par les cours, par-derrière, je ne sais pas...

Le souvenir me revint du dédale intérieur que nous avait fait traverser Émile pour parvenir jusqu'à la rue de la Roquette, quand la foule débordait de la place de la Bastille le jour de l'enterrement de Charles Hugo.

– Je connais un passage par une fabrique de papiers peints, dis-je, presque intimidé par l'attitude sombre et décidée de mon père.

– Alors viens, ne perdons pas de temps. Viens ma Louison, viens ma grande, ils ont encore besoin de nous.

L'oncle Guillaume, inquiet, tournait en rond sans mot dire. Lorsque mon père ouvrit la porte, il courut à la cuisine, fourragea un instant dans l'étroit réduit, en ressortit avec le chassepot et un sac de cartouches.

– Prends ton fusil, Charles, au moins ! Tu ne vas pas partir sans arme !

– Écoute Guillaume, prononça mon père d'une voix terrible, je défendrai la Commune et mes frères communeux jusqu'au bout, je mourrai pour elle s'il le faut, mais de ma vie, ou ce qu'il m'en reste, je ne toucherai plus à un fusil ! Passe-moi les cartouches ! Mon arme, désormais, ce sera ça !

Et nous le vîmes brandir au bout d'une hampe de bois brut aussi forte qu'un manche de pioche, le drapeau rouge qu'il avait posé contre le mur du palier…

Nous descendîmes. Dans les poutres enflammées des bâtisses écroulées, décors disloqués, remontant en peinant, dans l'incessant fracas des canonnades, la rue Sedaine vers le boulevard Voltaire, nous marchions sans voir. Mon père, portant haut levé l'étendard du Peuple, tenait l'Idée. Derrière lui venait Louise, croix rouge hospitalière et douce. Et je fermais la marche en serrant sur mon ventre les dernières cartouches du désespoir…

Samedi fut l'assaut final ; dimanche l'agonie. Nous sentîmes se réduire autour de nous les forces qui avaient résisté jusqu'au bout. Personne ne dira, j'en suis sûr, avoir vu une barricade tomber dans la panique. Ceux qui abandonnèrent leurs pavés, les larmes aux yeux, sans aucune consigne ou plus simplement faute de stratégie, ceux qui combattirent jusqu'à la mort pour défendre une rue qui ne gardait plus rien, avaient devant les balles l'incomparable grandeur de ces hommes qui n'ont plus, pour vivre encore une heure, qu'un message à porter qui doit passer les siècles. Mon père tint le sien de Belleville à Ménilmontant, fardeau unique semblable à un soleil, passant l'eau des ruisseaux déjà rougie de sang d'un pas de fantassin solide et redoutable. Je ne dirai jamais bien la clarté de son regard quand, aux derniers efforts inutiles, il joignit la valeur de son grand drapeau rouge, s'enleva au-dessus du combat meurtrier pour ne plus supporter, de ses grands bras qui battaient le ralliement, que l'âme épuisée du Paris qui mourait.

Louise ! Louise, c'est à toi que je dois les lignes de mon dernier récit ; dans cet enfer de tueries impossibles, tu fus pour nous une bonne étoile. Aucune des terrifiantes images des dernières barricades n'effacera par ses violences l'apaisante tendresse que tu nous prodiguas. C'est toi, Louise discrète, effacée, tendrement pensive, qui donnas aux blessés comme aux mourants la main qui rappelait la mère, la femme, la fiancée ; qui pourra t'oublier de tous ceux qui rougirent les pavés près de nous ?

Nous étions emmurés, encerclés, sans espoir, au centre de la dérisoire forteresse que fermaient les rues du Faubourg-du-Temple, des Trois-Couronnes, le boulevard de Belleville. Un peu plus haut dans le 20e, on se battait encore farouchement pour une maison d'angle qui ne tombait pas, un tas de sacs de terre et de fascines d'où sortaient toujours des cris et des balles. Le jour du dimanche se leva, perdu dans une grisaille en lambeaux où perçait un peu de soleil. La Commune n'avait pas dit son dernier mot, lâché l'ultime coup de canon, malgré l'épuisement, la soif, les mains brûlées de poudre. C'est à quinze hommes contre un que s'exhala le souffle de la lutte finale...

Sur la barricade de la rue de la Fontaine-au-Roi il y avait, tenu de sa main forte, le drapeau rouge de mon père et, derrière la murette hérissée de chassepots, le grand cœur de Louise qui battait. Dans la nuit un homme était venu, ceint de l'écharpe rouge des élus, s'assoupir contre notre rempart. Louise le croyant blessé s'était glissée jusqu'à lui. Il était arrivé par le dédale des petits passages noirs dont s'ouvrent les vieux quartiers, serrés comme des villages autour de la grande ville ; son halètement l'avait fait deviner. J'avais pris une lanterne.

– Qui es-tu, citoyen ? chuchota Louise.

– Clément, dit l'homme simplement. Jean-Baptiste Clément...

– Ah !... fit ma sœur interdite ; et je vis qu'elle avait rougi de sa familiarité.

La nuit s'orangeait des clartés montantes d'incendies venues du nord, que nous ne situions pas bien. Nous nous tûmes.

Mais Clément devina le trouble de Louise et il reprit avec douceur, presque avec tendresse :

– Je t'en prie, camarade, dis-moi "tu" encore. Ce mot-là, c'est la fraternité c'est ce que tu pensais en venant à moi. Ne casse pas ton élan ; il est beau parce qu'il est sincère. Comment t'appelles-tu ?

– Louise...

– Et ce jeune camarade ?

– Mon frère… Pascal…

Il me prit des mains la lanterne, l'éleva vers nos visages en souriant.

– Oh !… Si je ne pouvais me souvenir, dans ce grand tumulte, que de ces douceurs-là ! dit-il. Vers le boulevard on entendit des fusillades ; il baissa les yeux.

– C'est le dernier bastion qui tombe. Le Père-Lachaise. Ils se battent au milieu des tombes… J'en viens… Et ça, là-haut, c'est la Villette qui brûle, ajouta-t-il en désignant les franges mouvantes au-dessus des maisons…

Il se fit un long silence meurtri de coups de fusils lointains. Clément se cala contre le chambranle d'une porte entrouverte, parut s'assoupir un peu.

Louise me fit signe de rester près de lui, se leva avec précaution comme si elle avait craint d'éveiller l'homme endormi, se fondit dans la perspective de la barricade sans vie, derrière laquelle sommeillaient sous des toiles nos compagnons de combat. Elle revint bientôt avec un lambeau de couverture.

– J'espère qu'il n'aura pas froid, murmura-t-elle en couvrant délicatement la poitrine de Clément.

Il ouvrit les yeux, sourit sous sa moustache blonde.

– C'est toi, Louise ? souffla-t-il.

Il tendit la main au hasard, rencontra la sienne.

– Oh ! toi, je te chanterais, si j'en avais le cœur…

La barricade fut abandonnée au matin ; tournée par les Versaillais qui tenaient l'hôpital tout proche, elle n'offrait plus d'asile et ne servait à rien. Mon père, que son drapeau ne quittait pas, mena la petite troupe vers la rue des Trois-Bornes ; c'est là qu'eut lieu notre séparation, c'est de là que partit l'ultime fusillade en même temps que croulaient les défenses de la rue d'Angoulême qui tira sans relâche, elle aussi, tant que durèrent les cartouches.

Jean-Baptiste Clément nous suivit jusqu'au bout. Nous étions sept, huit avec l'étendard, pour tenir tête sur un mur de pavés pas plus haut qu'un enfant : trois fédérés farouches, merveilleux de bravoure et d'insolent défi, mon père, Louise et Clément, et moi qui n'avais rien que mon courage inconscient pour passer les cartouches, dans ce vent de folie, au tireur qui fit deux fois voler en éclats la hampe du drapeau de régiment que les lignards arboraient.

Je n'oublierai jamais la foule endimanchée, ces prudents boutiquiers, ces pâles fonctionnaires, qui vinrent aux barricades ce jour-là vers trois heures pour voir tomber enfin les derniers insurgés. C'est en courant, hélas, mais pourquoi le cacher, que nous fîmes, trébuchants, les pas qu'il fallait faire pour échapper à la fureur versaillaise.

Je ne sais quelle grâce de dernière minute nous valut de ne pas être pris et fusillés sur place. Dans l'étroite venelle où nous nous séparâmes, nous entendîmes, formidable tonnerre, rugir sur nos têtes le coup de canon certainement bourré à double ou triple charge, qui partit quelque part vers la rue de Tourtille, au-dessus du boulevard de Belleville, et qui disait encore, en ultime au revoir, la force de l'Idée que Versailles enterrait. Puis ce fut le silence…

C'est encore mon père, sage et avisé comme hier, qui nous convainquit de ne pas rester groupés. Les gardes nationaux frappèrent aux portes basses des petites maisons ; on leur ouvrit, ils furent cachés : le Peuple sait le Peuple et connaît ses détresses.

Mon père roula le drapeau rouge, hésita un instant, cogna aussi au vantail modeste d'une demeure du vieux Ménilmontant, au hasard. Une main timide entrouvrit la porte.

– Camarades… dit-il.

– Oui… camarades, jeta vivement la voix d'une femme que nous ne distinguions pas, assise dans la pénombre.

Nous entrâmes. Au moment de franchir le seuil, Clément eut un recul. Il se tourna vers Louise :

– Ce n'est pas là mon sort, dit-il. Je ne peux pas vivre en me cachant…

– Alors ? dit mon père, tu préfères te faire tuer ? Il ne répondit pas, secoua la tête, leva vers Louise un regard implorant :

– Tu restes ?

Il l'avait prise par la manche, la contemplait, éperdu de sentiments contradictoires. Elle sourit, parut étonnée :

– Où veux-tu que j'aille ?

D'une main preste, il déroula sa ceinture rouge, la tendit à ma sœur :

– Tiens, dit-il, c'est la Commune, c'est ma Commune… Garde-la en souvenir… en souvenir de ceux pour qui je l'ai portée…

Mon père a pris des cheveux blancs, en a neigé
sa tête. Je m'en suis rendu compte tout à l'heure
quand, devant la fenêtre où je travaille, Élise,
ma petite nièce, est venue le taquiner un peu
comme elle le fait quelquefois après sa sieste,
une tartine à la main. Il regardait la mer qui
montait vers nous et sa chevelure émergeait du
grand fauteuil où il est assis, seule concession
par lui admise à la vie confortable que nous
avions voulu lui faire. La voix minuscule a dit :
– Tu dors, grand-père ?
Il a murmuré quelque chose qui voulait dire
"bien sûr" mais je sais que ce n'est pas vrai.
Lorsqu'il ferme les yeux, ce n'est pas pour dormir. La mer apporte, en ce moment, le grand
bateau que j'imagine fatigué de sel et de vent,
qui doit nous ramener ma mère de Nouméa :
ce sont eux qu'il guette, inlassablement.
Plus tard, quand le soleil s'est couché derrière

les monts Albères, il s'est tourné vers moi, souriant comme toujours de sa bouche admirable :

– Où en es-tu, mon grand ?

Ma femme est entrée à ce moment pour nous inviter à descendre à table. Je n'ai pas répondu tout de suite, l'esprit ailleurs.

– C'est dur, les derniers jours… ai-je dit enfin.

Il a hoché silencieusement la tête ; prenant Henriette par l'épaule, il l'a conduite jusqu'au bureau en merisier, cadeau de Louise, où s'éparpillent mes feuillets. Il s'est penché, a lu à haute voix :

– … *"Les soldats versaillais n'eurent même pas, dernier sursaut fraternel, le courage de refuser ces meurtres…"*

Il s'est arrêté.

– Non, a-t-il dit, il ne faut pas écrire cela. Les soldats, c'étaient aussi des hommes du peuple. Ils furent abusés, voilà tout. Ne fais pas retomber sur eux un sang qu'ils ne réclamaient pas. Les vrais coupables tu les connais comme moi… Ils s'appellent Thiers, et Mac-Mahon, et Gallifet, ou même le journal qui a ouvert une souscription pour Ducatel, leur "sauveur"…

J'ai pris la feuille. Ma femme m'a souri. Par la fenêtre ouverte, la page est partie sur le bras du vent qui souffle, en septembre, une bien tendre chanson ici, à Port-Vendres. Et puis il ne fait pas froid, l'air sent la montagne et l'on voit, dans l'allée qui descend vers la mer, les cyprès pareils aux parapluies roulés que portent les femmes du pays quand elles vont au marché. En bas, dans la longue cuisine où brûle un grand

feu, il y a Aubrun, le chien entre les pieds, qui
écouvillonne un fusil de chasse avec applica-
tion, et Louise qui tourne et vire autour de ses
poêlons.

– Tu crois qu'ils tarderont, maintenant ?

– On ne chasse plus, après le coucher du soleil,
répond Aubrun.

Il lui a donné deux beaux enfants. Le cadet, un
gros garçon solide comme son père, rit chaque
fois qu'on le regarde, avec la grâce émouvante
de Louise. Élise, l'aînée, c'est Élise, ma mère
petite fille, paraît-il.

On entend des pas dans la cour, devant le cellier dont la porte a grincé ; un bourdon de
voix mâles vient jusqu'à nous.

Émile est là depuis une semaine. Je lui avais
écrit pour annoncer la nouvelle.

"Je ferai n'importe quoi pour me rendre libre,
m'a-t-il répondu, attendez-moi d'ici peu."

Il est arrivé trois jours après sa lettre, pâle
comme un Parisien, les joues pleines de
taches de rousseur, la poitrine creusée par la
voussure du dos que lui laissa la balle du Château-d'Eau. Il m'a pris dans ses bras d'un
grand élan brusque et gauche.

– Alors, c'est vrai, elle revient ?

Lui aussi sans le savoir a tout de suite employé
l'unique pronom par lequel nous la désignons
tous : elle, sans plus. Ses petits-enfants ne la
nomment pas autrement. Elle… C'est toute la
bonté du monde, la mère, la femme, la grand-
mère… Une image qui a dans la famille une
si puissante présence qu'elle doit inquiéter,
par l'emprise de son souvenir, ceux qui ne la

connaissent pas encore.

– Tu crois qu'elle m'aimera ? m'a demandé Henriette, un peu anxieuse, quelques mois après notre mariage.

Émile pousse la porte, fait entrer avec lui une bouffée d'air à l'odeur de paille. Il rit. Le long garçon sérieux derrière lui, emprunté de ses grands bras, chaque fois surpris de sa voix de violoncelle, et qui à cause de cela parle peu, c'est Stéphane. Si ce n'était cette candeur du regard bleu, celui du père Clarisse, on lui donnerait dix-huit ans : il en a quinze, l'âge où j'ai vécu la Commune. Mon père sourit :

– Allons, vous nous rapportez de la plume ou du poil ?

– Tiens ! Montre donc, Stéphane, fiérote Émile. Mon frère tire de son dos la musette gonflée, la ramène d'un coup sur son ventre.

– Une bécasse ; on l'a tirée dans les prés salés, au retour…

Il est heureux comme un homme. Henriette prend le gibier, le soupèse ; elle s'y connaît et dit :

– Faut la pendre au cellier ; ça attendra bien deux jours…

Et chacun en silence lui sait gré d'avoir dit ça, parce que c'est bien ce qu'il fallait dire et qu'elle y a pensé comme nous tous. On se regarde en souriant ; mais ma femme a de l'eau dans les yeux…


Il n'y a que trois mois que nous habitons Port-Vendres. Tant que dura le mandat de

Mac-Mahon à la présidence de la République (qu'il faut bien appeler de ce nom), nous n'eûmes pas de répit. Il n'avait pas suffi à Thiers, semble-t-il, qu'il écrasât la Commune ; il fallait tuer l'Idée. On fusilla en masse, partout dans les rues, les prisons, les casernes, les parcs, les jardins et les gares. Puis lorsque, selon Thiers, le "socialisme [fut] mort, et pour longtemps", que Paris exhala la pourriture fétide de ses vingt mille cadavres, les exécutions se firent plus rares. Seule la peur des épidémies fit cesser l'incroyable massacre. La Seine, que le sang avait rougie des jours durant, reprit sa teinte neutre. À l'Orangerie de Versailles, sur le plateau de Satory, c'est par dizaines de milliers que furent parqués les prisonniers du hasard. Beaucoup moururent et je tremble à la pensée que ma mère connaît les épouvantes de ces bagnes…

Nous ne sûmes pas tout de suite qu'elle était vivante. Nous avions attendu la nuit pour sortir de notre cachette et courir chez l'oncle Guillaume. Je crois bien qu'il ne nous attendait plus. Notre arrivée le bouleversa tant que sa joie se mua en une muette colère qu'il passa inexplicablement sur moi, prétendant sans raison que j'avais abandonné Émile au plus fort de sa fièvre. Le médecin dut revenir. Tandis qu'il le soignait, mon père descendait en hâte.

Il ne revint que le lendemain soir, les yeux rouges, les dents serrées, incapable de prononcer une parole ; ce n'est qu'au matin qu'il consentit à parler : ma mère avait été emmenée

à Versailles... C'était au moins une certitude.
Il fallut un grand mois pour que s'ouvrent un
peu les parloirs (si l'on peut dire !), et que
mon père obtienne un entretien avec une des
compagnes de captivité de ma mère. Ce fut
Louise Michel, l'institutrice de Montmartre
que nous connaissions tous, qui tendit dans
la nuit sa main fraternelle et courageuse.
Emprisonnée depuis la chute de la Butte, elle
avait été du même convoi que ma mère,
l'avait suivie à Satory, se tenait près d'elle jour
et nuit. C'est ainsi que nous apprîmes la blessure dont elle avait été victime, le coup de
crosse lâche et gratuit qui lui interdisait
encore de venir jusqu'aux grilles...
Un jour, sans que nous eussions été prévenus
de rien, Louise Michel ne parut pas : le grand
départ s'était fait, l'adieu véritable, la dernière
étape vers l'exil qui devait durer huit ans... La
première lettre de ma mère n'arriva que dix
mois après.
Ce fut donc la déportation, dans les îles du lit-
toral tout d'abord, en Nouvelle-Calédonie plus
tard, de l'autre côté du monde, qui emporta ce
qui restait des hommes et des femmes que
Thiers n'avait pas osé tuer...
L'inimaginable répression dure depuis des
années. Nous avons, après la Semaine sanglante, mené une vie de pourchassés. À quelques amis sûrs en province nous devons de
n'avoir pas connu l'exil ; mais combien durent
s'expatrier ? Des dizaines de milliers, sans
doute... Heureux ceux qui réussirent à passer
le filet policier ou en déchirèrent les mailles...

Mac-Mahon, après Thiers, a poursuivi la tâche honteuse. Mais depuis janvier nous respirons un peu : au monarchiste aux mains rouges, Jules Grévy vient de succéder. C'est le premier républicain à n'avoir pas fusillé.

Dès que fut connue la première mesure d'amnistie, mon père courut à la Commission des grâces. Ma mère était sur la liste…

Il était dit seulement qu'un bateau toucherait Port-Vendres au mois de septembre, portant sa première cargaison de Calédoniens.

– C'est bon, dit mon père, nous irons l'attendre là-bas.

C'était il y a quatre mois, à la fin de ce printemps 1879 plein des gerbes de vent qui frisent la Loire, à cette époque de l'année, de risées capricieuses. Nous habitions une ferme isolée en retrait des mares qui bordent le fleuve, abritée par la levée de terre sur laquelle passe la route empierrée. Le lieu-dit s'appelle Grange-d'Ave, à une demi-lieue du château de Luynes dont on ne voit que les remparts, flanqués de tours rondes.

Roland, le fermier qui nous logeait, comprit tout de suite ; il est de bon conseil :

– À mon avis, Charles, le mieux serait d'envoyer Jean (Jean, c'est Aubrun, mon beau-frère) avec sa Louise, chercher d'abord un logement, une ferme peut-être si ça se trouve par-là. Je ne vous vois pas facilement, à débarquer avec les "drôles" et votre fourniment, sans avoir quelque chose de sûr…

Aux premiers jours de juin, mon père, Henriette, les enfants de Louise, sont partis par le

chemin de fer avec leurs trois bouts de baga-
ges ficelés, nos richesses de nomades, rejoindre
ma sœur et Aubrun. Ce n'est pas pour rien qu'il
y eut une Commune à Narbonne : le peuple
y est hospitalier. Ils ont trouvé un métayage
très vite et mon père, avant d'être connu, avait
déjà un emploi à la mairie qui n'attendait que
lui.

Pour moi, ce fut plus difficile. J'ai dû rester à
Luynes jusqu'à la fin des classes et demander
une mutation. Elle tarda. Lorsqu'elle me fut
enfin accordée, j'appris que j'étais nommé
instituteur public à Collioure, à deux pas de
Port-Vendres : tout allait bien.

Demain, elle descendra du bateau. Je ne peux
pas imaginer cette joie-là qui nous prendra
tous, à cet instant, autrement que par celle
qui se reflète ce soir sur nos visages et dans
nos yeux. Nous, les Clarisse, aurons fermé le
livre de notre toute petite histoire en sachant
bien qu'elle n'est pas terminée. Quand ma
mère retrouvée s'assiéra parmi nous qui
l'avons prolongée par nos propres enfants, je
sais que se fera là une rencontre véritable,
vivante ; une main se tendra par-dessus une
génération pour la prendre et l'instruire.

Le grand-père Clarisse, que je n'ai pas connu,
mourut en mai 1839 sur les barricades ; mon
père avait vingt ans. Cet homme intègre et dur,
au dire de ma mère, fut de toutes les émeutes
et de tous les élans. Il connut juillet 1830,
juin 1832, avril 1834. Mai 1839 emporta ce

grand corps dont le cœur ne battit que pour la liberté. Ainsi avons-nous, les Clarisse, un beau passé de pavés. Je pourrais en être fier : il n'en est rien. Non que le Peuple ait tort de s'insurger, mais bien à cause de ceux qui laissent, aux classes laborieuses, le seul choix des révolutions de la misère…

Le Peuple, au contraire des militaires, connaît ses morts et les dénombre : ceux-là ne meurent pas pour rien tant il est vrai qu'ils meurent pour tous. Mon père m'a rappelé souvent la Commune de Paris. Il oublie que je l'ai vécue près de lui, obscurément sans doute, mais au travers de quelles douleurs dans les idées reçues ! C'est pourquoi j'en faisais les lumières d'un matin que j'avais seul senti se lever sur ma tête : j'étais injuste. C'est par mon père encore que je sais qu'on ne désarme pas l'Idée, par lui que m'apparaît la grandeur du mouvement, cette gerbe prodigieuse qui fait de la Commune le premier pas réel, irremplaçable, irréversible, que firent et referont plus tard les hommes libres. D'autres, comme nous, déjà se lèvent et marchent…

# TABLE

Ouvrage réalisé
par les ateliers graphiques Actes Sud

Reproduit et achevé d'imprimer
en février 2000
par l'Imprimerie Floch
à Mayenne
sur papier des
Papeteries de Jeand'heurs
pour le compte des éditions
ACTES SUD
Le Méjan
Place Nina-Berberova
13200 Arles

Dépôt légal
1re édition : mars 2000
N° impr. : 48224
(Imprimé en France)